莱茵河

——治理保护与国际合作

董哲仁　主编

U0235209

黄河水利出版社

图书在版编目（CIP）数据

莱茵河：治理保护与国际合作／董哲仁主编. —郑州：
黄河水利出版社，2005.8
ISBN 7-80621-932-3

Ⅰ.莱…　Ⅱ.董…　Ⅲ.莱茵河－河道整治－概况
Ⅳ.TV885

中国版本图书馆 CIP 数据核字（2005）第 066113 号

责任编辑　吕洪予　　美术编辑　谢　萍
责任校对　张　倩　　责任监制　常红昕

出　版　社：黄河水利出版社
　　　　　　地址：河南省郑州市金水路 11 号　邮政编码：450003
发行单位：黄河水利出版社
　　　　　　发行部电话：0371-66026940　传真：0371-66022620
　　　　　　E-mail：yrcp@public.zz.ha.cn
承印单位：河南第二新华印刷厂
开本：787 毫米×1 092 毫米　　1/16
印张：14.75
字数：230 千字　　　　　　　　印数：1—2 000
版次：2005 年 8 月第 1 版　　　印次：2005 年 8 月第 1 次印刷

书号：ISBN 7-80621-932-3/TV·404　　　　定价：45.00 元

序

　　莱茵河是一条国际性河流，是欧洲的重要水道和沿岸国家的重要供水水源地。莱茵河流域曾经经历过的污染、治理、生态恢复和国际合作过程，对于我国正在进行的社会主义现代化和全面小康社会建设，特别是流域水资源开发利用，具有重要的借鉴意义。

　　莱茵河是欧洲水量最丰富的河流之一，在欧洲河流中占有重要地位，是世界上最繁忙的航道之一。上个世纪，由于欧洲经济和工业发展，莱茵河在一定程度上变成化工和一般工业基地的主要走廊，受到严重污染。此外，洪水灾害也一直是莱茵河的重要挑战。在莱茵河沿岸各国的高度重视下，1963年在保护莱茵河国际委员会框架下签订了合作公约，奠定了共同治理莱茵河的合作基础。此后，沿河国家在防洪、供水、灌溉、水污染治理、航运、生态保护等方面，进行了广泛合作，建立了良好的信息、技术交流机制。如今，莱茵河已经改变过去严重污染并一度成为欧洲"下水道"的状况，又重现了清清的生命之河景象。

　　首先，莱茵河流域的开发利用十分注重面向问题，从人与自然和谐的角度采取综合性的措施。莱茵河国际合作始于19世纪的跨国航运，自20世纪50年代开始，污染问题最为下游国家(荷兰)所关心，由此倡导成立了保护莱茵河国际委员会，提出了防止化学污染以及其他水污染的对策；1986年瑞士的化工厂火灾，直接引起了以生态环境为主体的"莱茵河行动计划"的实施；1993年和1995年的莱茵河洪水，使流域内的人们更加关注洪水风险，也由此推进了"防洪行动计划"的开展。在过去的20多年中，从治理流域污染、关注防洪效果、提高航道保证程度，到逐步重视生态环境保护，充分认识到人与自然的和谐统一。在近期的所有规划和行动计划中，保护湿地、运用滞洪区时给动植物足够的适应期和动物逃离时间等都作为具体的措施和内容。保护莱茵河国际委员会将"莱茵河生态系统的可持续发展"确定为自己的首要目标，这与成立初期致力于防止污染有着本质的差别。

　　其次，莱茵河流域的许多协定属于国际法范畴，各国在签署协定后就有共同遵守的责任和义务，但同时要在国内的法律框架下通过相关的法律程序。为此，莱茵河的规划和治理在欧盟框架下统一实施，在目标上达成统一，在措施上保持着一定的灵活性，因为各国承担着自己的投入和维护的责任，重要的是以不损害其他国家的利益为前提，并兑现在总体框架下所担当义务的承诺。如在采用扩展河道、增加滞洪区或清除河道淤积等方面，各国采取了符合河道特点和本国国情的做法。

再有，莱茵河开发目标的确立都充分考虑了公众的参与。作为国际河流，上下游之间只有达成一致的决策，才能有效地实施，这就要求政府管理人员要有高度的责任感和从全流域共同福祉考虑问题，水资源的管理、防洪风险区划定后的税收政策调整、防洪预警与撤退方案的制订等，都需要让公众进行参与。为了鼓励公众参与，制定有共同兴趣的目标，并能够为大众所理解和认同是十分重要的。如到2020年将受到洪水危害的程度与1995年相比减少25%，又如，到2020年使莱茵河下游的洪水水位下降70cm，这些目标使大众易于理解，而鲑鱼2000年前的重现则更是直面莱茵河的水污染防治问题及传统的渔业问题。治理莱茵河不仅仅是政府的职能，也是沿河工厂、企业、农场主和居民共同的利益所在。各类水理事会、行业协会等作为非政府组织，应邀参加到重要的决策讨论过程中，充分发表意见，使得决策具有广泛性。

本书中所包括的内容，是水利部代表团对莱茵河流域水资源开发利用和保护情况进行实地考察后，结合国内水资源开发和管理需要精心整理和选编的。他山之石，可以攻玉，相信通过了解莱茵河的治理、保护与国际合作过程，对于我们做好可持续发展水利工作，特别是国际河流的开发利用和保护工作，将大有裨益。

是为序。

水利部副部长　翟浩辉

2005 年 5 月 16 日

出 版 说 明

应保护莱茵河国际委员会和瑞士联邦水文地质调查局的邀请,水利部代表团于2002年10月12～20日就莱茵河流域水资源开发利用和保护等进行了考察。代表团自莱茵河口溯流而上沿河进行了实地考察,参观了莱茵河三角洲自然保护区、水电站与现代鱼道、新型低地防洪与生态保护系统、水质自动监测站、航运指挥管理系统等,并分别与保护莱茵河国际委员会、联邦德国水文研究所、莱茵河航运理事会和瑞士联邦水文地质调查局的专家进行了座谈。

通过考察,我们对莱茵河有了比较直接和近距离的认识。为了将莱茵河的开发、利用、治理和管理经验较充分地介绍给国内的有关部门,代表团根据搜集的大量文字和图片材料进行编译、整理,汇编成此书,呈现给读者。莱茵河在管理方面的经验,对我国的流域管理具有参考价值。

本书包括上、中、下三篇,上篇主要介绍莱茵河的地理、水文、供水、水质、航运、发电、防洪、生态保护和综合水管理方面的情况;中篇为三角洲管理、河势演变和区域防洪案例;下篇介绍了莱茵河国际合作方面的基本情况和进展。本书可供我国水利、水运、水电工作者参考。

本书的编译、出版得到保护莱茵河国际委员会和联邦德国水文研究所等单位授权,同时得到水利部国际合作与科技司大力支持和南京水利科学研究院出版基金资助,谨此致谢。

编 者

2005 年 6 月 2 日

编 译 委 员 会

主　编　　董哲仁

副主编　　刘　恒　　陈霁巍

成　员　　薛建枫　　刘晓燕　　于兴军　　周刚炎

　　　　　束庆鹏　　赵宏伟　　韩育红　　胡苏萍

　　　　　张葆华　　薛云鹏　　张新凤　　刘　强

译　审　　孙　凤

目 录

中篇　典型案例

下篇　莱茵河国际合作

上 篇

莱茵河基本情况

第一章　地　理

1　概况

莱茵河流域面积为18.5万km^2[1]，干流长度为700km，河流全长为1 320km。与欧洲的其他主要河流相比，无论从面积上还是从长度上讲，都不算最大的河流（图1-1和图1-2）。尽管如此，莱茵河是欧洲水量最丰富的河流之一，在欧洲河流中占有重要的地位。其径流较为均匀，是世界上最繁忙的航道之一。

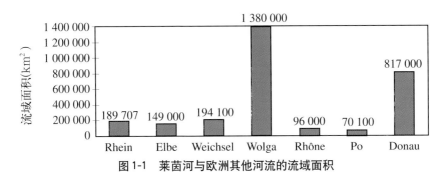

图1-1　莱茵河与欧洲其他河流的流域面积

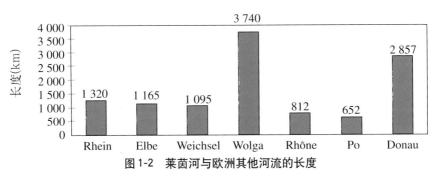

图1-2　莱茵河与欧洲其他河流的长度

作者：Karl Hofius，德国联邦水文所。
[1] 来源于保护莱茵河国际委员会官方网站。

莱茵河流域包括9个国家。德国占了一半以上的流域面积，瑞士、法国和荷兰各占近乎相等的流域面积(表1-1)。其流域宽度变化较大: 阿尔卑斯山地区的流域宽度为300km，上莱茵河谷地南端的流域宽度为70km，从Lorrainian高地到Fichtelgebirge山区流域宽度为500km(图1-3)。

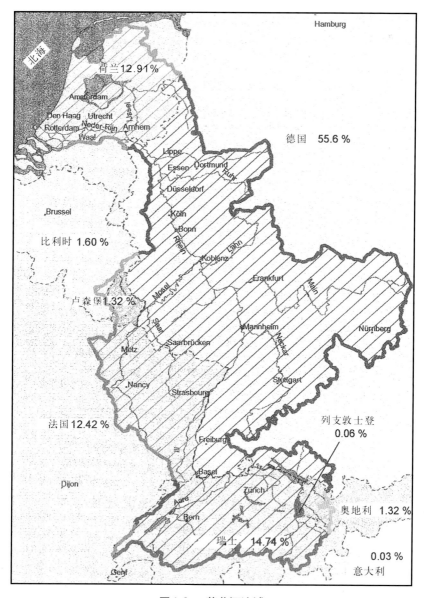

图1-3　莱茵河流域

表 1-1　莱茵河流域面积在各国的分布情况

国家	流域面积(km²)	比例(%)
德国	105 478	55.60
瑞士	27 963	14.74
荷兰	24 500	12.91
法国	23 556	12.42
比利时	3 039	1.60
卢森堡	2 513	1.32
奥地利	2 501	1.32
列支敦士登	106	0.06
意大利	51	0.03

莱茵河分为6个主要河段，即阿尔卑斯莱茵河（包括康斯坦茨湖，面积为539km²）、高莱茵河、上莱茵河、中莱茵河、下莱茵河和莱茵河三角洲，在三角洲地区莱茵河分成几条支流汇入北海。

2　人口

在古代和中世纪，莱茵河流域的人口比现在要少得多。然而，莱茵河干流、Mosel河和Main河流域的开发较早。在近代，30年的战争大大削减了德国人口。此后，人口稳定增长，到1800年，德国在莱茵河流域的居民达到500万。总体上讲，在160年内人口增长了6倍(图1-4)。如今，整个莱茵河流域约有5 000万居民。流域各国人口分布见表1-2。

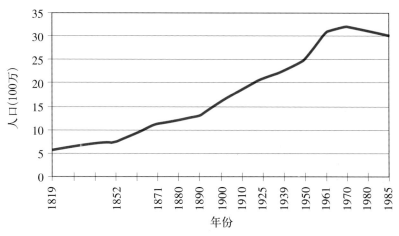

图 1-4　1819～1985 年德国在莱茵河流域的人口变化情况

现代人口增长趋势呈现城市化特征。在莱茵河流域的一些地方出现了人口聚集区，人口最多的聚集区见表1-3。近1/3的总人口集中在这些聚集区。这些聚集区位于莱茵河干流附近，或通过渠化河流和运河与莱茵河干流相连接。

表1-2　莱茵河流域各国人口分布

国家	居 民	
	数量(100万)	比例(%)
德国	约30	约60
荷兰	约10	约20
瑞士	约5	约10
法国	约5	约10
其他国家	约0.5	小于1

表1-3　莱茵河流域聚集区面积和人口

聚集区	面积(km²)	人口(100万)
Basel/Mulhouse/Lörrach	1 900	0.91
Neckar 中部地区	3 700	2.35
Rhine-Neckar 地区	3 300	1.74
Franconia 中部	2 900	1.15
Rhine-Main 地区	1 400	1.48
Rhine-Ruhr 工业区	4 400	5.19
Rotterdam 地区	1 000	1.35

3　土地利用

近代，莱茵河流域的土地主要用于农业和林业。从中世纪起，特别在易于耕种的地区，天然森林被大量砍伐。木材作为这些地区的主要产品，通过筏运卖给林木稀少但经济活跃的沿海地区，用于造船、建房，并用做燃料。18世纪和19世纪，过度砍伐森林导致了土壤侵蚀和洪水，解决措施是重新植树造林。如今，约1/3的莱茵河流域被森林覆盖。

在过去的100年里，从易货经济到货币经济的转变、更合理的耕作实践和化肥的使用使得主要农作物的产量成倍地增加（图1-5）。在莱茵河沿岸的平原，农业已经较早地发达起来了，但这些地区必须面对反复发生的洪水问题以及由于沼泽和水流条件改变所引发的涝渍问题。所以，通过防洪和排涝来改善土壤水平衡，在农业产量增长中也发挥了重要作用。

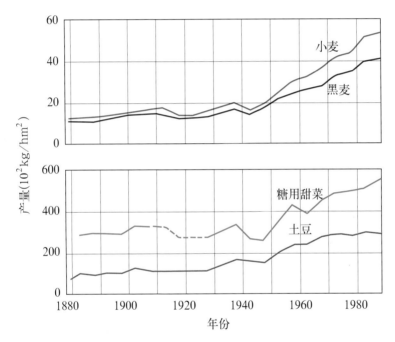

图1-5　1878～1988年Baden-Württemberg州主要农作物产量(5年平均值)

自古以来，从康斯坦茨湖到波恩的莱茵河流域及其支流的峡谷地区大量种植葡萄。由于产出的葡萄酒质量高，所以葡萄栽培在该地区取得了重要地位。

莱茵河的主要支流包括Aare河、Ill河、Neckar河、Main河、Nahe河、Lahn河、Mosel河、Ruhr河和Lippe河(表1-4)。

4　地形地貌

根据高程和地形构造，莱茵河流域可以分为高山区（阿尔卑斯山区）、阿尔卑斯山麓小丘区、由几块独立的Variscan准平原组成并覆盖在

表1-4 莱茵河的主要支流

名称	流域面积(km²)
Aare 河	17 800
Ill 河	4 800
Neckar 河	14 000
Main 河	27 200
Nahe 河	4 100
Lahn 河	5 900
Mosel 河	28 100
Ruhr 河	4 500
Lippe 河	4 900

中生代地层之上的高地区和低地区。莱茵河流域的平均高程为483m，平均地形坡度为5°44′。高山区流域面积为16 000多平方公里，最高峰海拔超过4 000m。尽管目前冰川正在大量消融，但冰川覆盖的面积仍有几百平方公里。

高山区的西北部即瑞士中部地区，流域面积约为10 000km²，沿程长度220km，平均宽度约45km，主要由中新世的磨砾层构成。高山区北部是源于冰川的康斯坦茨湖流域。该流域中心为康斯坦茨湖，湖面高程396m，最大湖深276m，因此湖底最深处的高程为120m。

阿尔卑斯山脉、阿尔卑斯山麓、中部地区和瑞士Jura地区是巴塞尔(Basel)以上莱茵河流域。这部分面积占全流域面积的20%。

莱茵河在巴塞尔急转弯，流入自南向北延伸的上莱茵河平原。上莱茵河河谷全长300km，平均宽度40km。沿上莱茵河河谷的东西两侧，高地基岩之上是完整的中生代地层，如砂岩、青石灰岩、侏罗纪的白垩土等。

Main河—莱茵河—Nahe河一线以北地区即莱茵板岩山区，面积约为26 000km²，这些河流几乎全部汇入莱茵河。在宾根（Bingen）至波恩的113km长的峡谷地带，莱茵河穿过了莱茵板岩山区。同时，莱茵河的支流Mosel河、Lahn河和Sieg河也穿过了莱茵板岩山区。

下莱茵河呈港湾状从西北方向向莱茵板岩山区延伸。沿下莱茵河的地貌特征是宽广的沉积区、北部冰河作用的残余和有时较厚的黄土覆盖层。根据沉积特点，莱茵河的主台地和中、下台地形成了下莱茵港湾。在荷兰，部分莱茵河流域位于海平面以下。

5　水文地质

在某种程度上，地下水的分布反映了流域地形结构。岩石状况的改变也会造成地下水水流的局部变化。这里描述的地下水仅指作为饮用水源的地下水。

在阿尔卑斯山区和部分莱茵河高地，狭长的山谷砂砾层中的地下水被作为饮用水源而加以开采利用。

上莱茵河河谷的中生代地层上覆盖了2 000多米厚的来自海洋的第三纪砂黏土。流域中部的上层为200～400m厚的第四纪沉积物。这些沉积层富含地下水。

莱茵河流域地下水特别丰富的地区为下莱茵河港湾区和荷兰的东部地区。如果将含水层分成一系列的层次，那么更新世莱茵台地的砂和砾石较上层在水文地质方面更为重要。目前，波恩和荷兰之间的莱茵河河段两岸的下台地的地下水最为丰富。该地区有20～30m厚的砂和砾石，具有非常好的透水性。下台地直接影响莱茵河的地表径流，所以除了从10～30km宽的台地抽取地下水外，增加的用水是附近河流通过两岸渗透的河水。

6　土壤

一种土壤的形成取决于许多因素，如母岩、气候、地下水条件、土壤湿度、土地利用和影响某种土壤形成的地貌等。这些因素在莱茵河流域变化很大，所以出现了多种土壤。然而，在阿尔卑斯山区、高地、山谷和下莱茵河地区，可以发现大面积类似的土壤。在阿尔卑斯山区，绝大多数土壤覆盖层较薄；在高地主要是各种各样的褐锰矿土；平原通常是灰化土。气候条件如何决定某种土壤的形成，可以在Worms地区黑钙土中找到答案：这里气温适宜、降雨相对较少，因此形成了这种土壤类型，而这类土壤通常只能在大陆性气候的区域发现。

7 气候与降雨

整个莱茵河流域常年盛行西风，因此给中欧带来湿润的大西洋海洋性气团。低压区主要从荷兰和下莱茵河流域向东移动，低压槽几乎影响不到莱茵河流域南部，所以那里是大陆性气候。由于莱茵河流域独特的地形地貌结构，山脉的迎风面会影响并阻止气团的上升，背风面又影响气团的沉降，从而导致在很短的距离内降雨量极不相同(图1-6和图1-7)。总体上，莱茵河流域的降雨量变化在 500～2 000mm 之间。

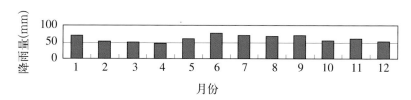

图1-6　1931～1960 年 Mulhouse (Ecluse) 的月平均降雨量

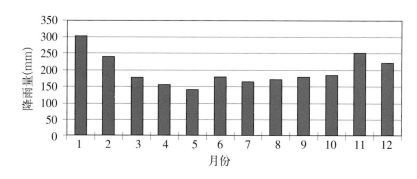

图1-7　1931～1960 年 Sewen (Lac d'Alfeld) 的月平均降雨量

参考文献

1 Internationale Kommission für die Hydrologie des Rheingebietes (ed.) (1978): Das Rheingebiet, Teil A-Texte

2 Internationale Kommission für die Hydrologie des Rheingebietes (ed.) (1978): Das Rheingebiet, Teil B-Tabellen

3　Internationale Kommission für die Hydrologie des Rheingebietes (ed.) (1993):
　Der Rhein unter der Einwirkung des Menschen-Ausbau, Schiffahrt,
　Wasserwirtschaft; Bericht Nr. I-11 der KHR, Lelystad

4　Federal Institute of Hydrology. Bundesanstalt für Gewässerkunde (de.)
　(1994): The 1993/1994 flood in the Rhine basin; Koblenz

第二章 水 文

1 莱茵河径流情势

莱茵河流域面积18.5万km^2，多年平均流量2 200m^3/s，是欧洲最重要的流域之一。莱茵河发源于瑞士山区的积雪和冰川，流经奥地利、德国、法国和卢森堡，进入荷兰的平坦地区。平均而言，莱茵河总径流量的50%来自瑞士境内的阿尔卑斯山脉。到了夏季，山上的积雪和冰川融化量占总径流量的比例上升到70%。

莱茵河流域水量平衡分量：降雨量1 100mm、径流量520mm、蒸发量580mm。

在山区，莱茵河径流情势变化很大。在瑞士的阿尔卑斯山区，最小径流和最大径流之间的比值为1∶68，往下游这种差异明显减小，主要是由于较大的天然湖泊和人工水库的调蓄造成的。在德国和荷兰边界，最小径流和最大径流之间的比值为1∶21。在瑞士的Rheinfelden，莱茵河冬季流量小，而夏季六七月份流量大。在德国和法国，莱茵河支流Neckar河、Main河、Mosel河和Lippe河则夏季流量小、冬季流量大。所以，德国和荷兰边界的Rhine-Rees河在8～10月流量小、1～3月流量大（图2-1）。莱茵河流域的径流情势呈多样化，仅在瑞士就有16种不同的径流情势（图2-2）。

图2-3为从康斯坦茨湖至荷兰的莱茵河河段水文剖面图。它显示了其主要支流间的莱茵河河段的平均洪水流量MHQ、平均流量MQ和平均枯水流量MNQ，也显示了平均单位洪水流量MHq的型式。平均单位洪水流量在瑞士山区的29L/(s·km^2)和荷兰的14L/(s·km^2)之间变化，这些数据是根据1951～1990年监测资料计算出来的。

最近几年，莱茵河流域发生特大洪水次数较以前增加，造成了巨大

作者：Manfred Spreafico，瑞士国家水文地质调查局。

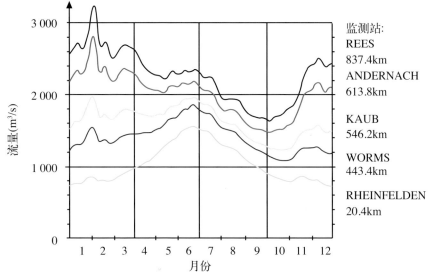

图2-1　莱茵河监测站的径流情势

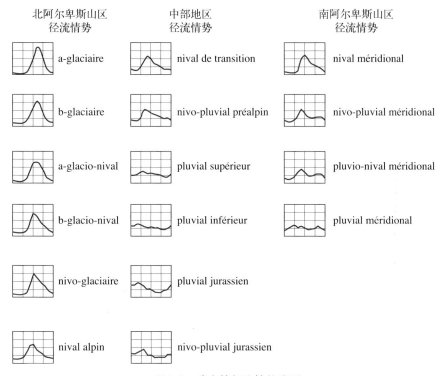

图2-2　瑞士的径流情势类型

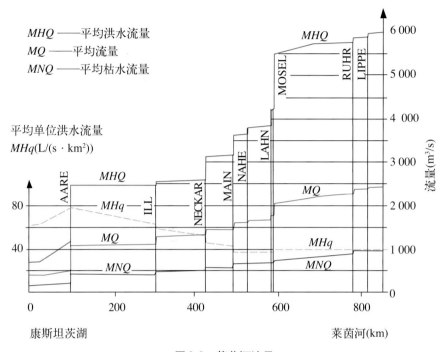

图 2-3　莱茵河流量

损失。1987年的一场洪水给瑞士的大部分地区造成了破环，损失计10亿美元。1990年和1993年/1994年的洪水造成莱茵河沿岸国家的损失达9亿美元。1995年1月，沿莱茵河和Mosel河的许多城镇被洪水淹没，荷兰的堤坝濒临崩溃，数十万人被迫转移，损失高达数十亿美元。引发这些洪水的原因是：

- 流域内大部分地区长时间的暴雨；
- 长时间降雨造成土壤含水量过高，土壤没有足够的蓄滞雨水能力，或者由于冬季土壤上冻，雨水无法入渗；
- 土壤侵蚀、泥沙输送和沉积。

　　除了自然原因外，洪水也受人为因素的影响。人为改变植被和土壤的天然滞水状况及水文地理系统会破坏水量平衡。例如：

- 民用和工业建筑物、道路等造成的地面封闭；
- 砍伐和破坏树木，造成森林覆盖面积的减少；
- 不因地制宜的农业耕作对地下水的破坏；
- 主要为了加快泄水而实施河道渠化，从而降低了河流沿岸地区的滞水能力；

- 堤防建设减少了天然蓄滞洪区。

另一方面，人们在有些地区采取了积极方式影响洪水：建设了蓄滞洪区，并通过湖泊调节河流水位。在莱茵河不同的河段，这些人为因素对洪水的影响效果是不尽相同的，这主要取决于各局部流域的面积和特点。由于涉及复杂的相互关系，只有很少的一些案例能够科学地、可靠地评估人类干预对洪水的影响。

Reuss 河向下至 Seedorf 的山区流域面积为 832km²。以下详细分析该流域1987年8月23~25日洪水的成因和影响。当时的水量平衡是这样的：27%的降雨直接流入河流；25%的降雨通过土壤间接流入河流；来自流域内道路（封闭地面）上的雨水占直接径流的1%。与降雨量和径流的测量误差相比，森林截留降雨量的多少，尤其是因森林遭到破坏而影响其降雨的截留量，对水量平衡影响不大。土壤的持水量是测量洪水总量的最重要的调节因素（表2-1），由此可以得出如下结论：

- 早期的降雨、融雪和温度类型都会导致较大的径流强度。
- 60h内总降雨量为170mm，这在面积为800多平方公里的地区实属罕见，这么强的降雨起了决定性的作用。
- 与以前的天气类型和土壤蓄水能力（主要取决于地质底层构造）相比，可以忽略植被影响。
- 洪水的形成几乎不受人类对地形地貌改变的影响。强降雨量和降雨分布不均匀造成了不利条件，而人为因素无法改变这些不利条件。然而，人类干预（砍伐森林、封闭地面）减少了流域的蓄滞洪能力，极大地增加了该流域洪水的发生频率，水库蓄水有助于减少洪峰流量。
- 山区河流冲下的泥石流和泥沙是导致洪水的一大因素。

在莱茵河流域开展了大量的调查研究，以便确定该地区径流的中长期变化，寻找造成这些变化的原因。图2-4举例说明了1901~1995年Basle水量平衡分量的变化。在此观测期间，平均气温上升了约1.4℃，降雨量增加了近120mm，约占年降雨量的8%。自20世纪70年代，1h实测最大降雨量明显增加,径流量稍有增加(5mm),而蒸发量显著增加(107mm)。Basle洪峰流量年均增加1.5‰。

表2-1　1987年8月24/25日Reuss河特大洪水的水量平衡分量

分量	数量		
	mm	10⁶m³	%
降水量	182	151	100
流量:			
总量	94	78	52
直接径流	49	41	
来自道路	0.6	0.5	
蒸发量:			
总量	7	6	4
森林截留量	0.6	0.5	
储存量:			
总量	81	67	44
积雪	8	7	
土壤	60	50	
洪水区	4	3	
水库	9	7.5	

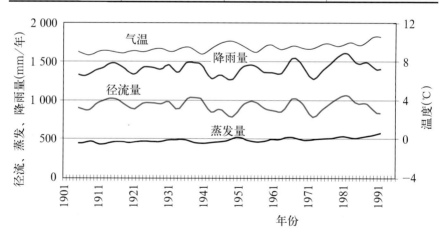

图2-4　1901～1995年Basle气温和水量平衡分量变化

　　在德国,通过长期测量,也存在类似的变化趋势,但径流量的增加更大些。针对径流而言,枯水流量、平均流量和洪水流量都增加了。

　　这些变化趋势是由于河势和气候变化以及人类干预造成的。例如,据观测,风的类型发生了变化,西风更加普遍,带来了较长时间和更大强度的降雨。气温升高导致了降雨总量和时间分布的变化,冬季降雨量也增加了，同时下雪的频率降低了，还明显减少了阿尔卑斯山区积雪和冰川的储水量。当然，水管理也可以对洪水发生频率产生正面或负面影响。例如，山区水库可以蓄水，从而降低洪峰。

2 气候变化对径流情势的影响

几年来，莱茵河流域水文国际委员会（CHR）与欧洲其他水文研究机构合作，开发或应用了流域模型和莱茵河流域整体模型，就气候变化或土地利用变化对平均流量、洪水流量和枯水流量的影响进行了调查研究。这些项目为减少全球变暖效应的战略制定提供了基础。

针对瑞士的几个流域，运用IRMB模型研究了CO_2加倍对水量平衡的影响。该模型是一个日概念性水文模型，由比利时皇家气象研究所水文处研制，可用于模拟面积为$200\sim1\,500\,km^2$中等流域内的水循环分量。对整个流域而言，模型输入的数据必须一致。IRMB模型以连续的子水库为基础，这些子水库反映了流域内主要的、不等的蓄水量和子水库间的水量传递。模型参数由流域出口处的日总流量确定，输入变量为气候数据（降雨量、净辐射、气温、空气湿度、不同深度的土壤温度、风）和自然地理数据（土壤覆盖、反射率、树叶指标、土壤类型、城市面积、通气层最大含水量）。运用Bultot(1988年)方法计算了由于CO_2加倍导致的降雨量、气温、辐射、水蒸气压力和云层覆盖的日增加情况。

表2-2显示了1983～1990年Ergolz流域在CO_2干扰条件下和目前气候条件下的水量平衡分量，得出如下结论：

- 增加了蒸发蒸腾能力和有效蒸发蒸腾；间接影响：生物数量和农业产量的微增长。
- 尽管地表渗入量有所增加，但是增加量被蒸发蒸腾了，所以向深层地下水的年补给量减少了。
- 出口处的季径流增加了，但对年径流总量没有影响。12月～翌年2月径流量较大，而5～9月径流量较小。
- 增加了日最大流量。
- 通气层土壤含水量低于60%。
- 积雪覆盖时间变短，从而降低了除雪的投入，但影响了冬季娱乐区的经济效益。

运用RHINEFLOW模型模拟了人类活动导致的全球气候变化对莱茵

表 2-2　Ergolz 流域 Liestal 站水量平衡及两种方案的增加量(方案 1 — 方案 0)

(方案 1：CO₂ 加倍；方案 0：现状)

(单位:mm)

水量平衡分量	1983年	1984年	1985年	1986年	1987年	1988年	1989年	1990年	多年平均值
降雨量	51.3	49.8	43.2	66.0	44.9	70.2	50.7	58.1	54.3
蒸发能力	67.5	82.8	68.0	73.8	71.6	71.6	68.4	64.1	71.0
有效蒸发	51.5	58.4	47.8	63.2	66.9	61.4	47.3	48.4	55.6
直接蒸发	10.9	12.1	4.0	11.4	16.1	18.3	7.1	9.2	11.2
上通气层的蒸发	25.3	27.9	27.7	37.1	38.2	27.9	23.4	26.2	29.3
下通气层的蒸发	15.3	18.2	16.1	14.6	12.6	15.2	16.8	12.9	15.2
截留量	10.9	11.5	4.6	10.4	16.6	17.9	7.1	9.2	11.0
贯穿降水量	40.4	44.2	33.5	54.5	28.0	52.1	43.5	48.8	43.1
渗入量	14.5	26.7	21.7	35.9	27.7	3.8	32.1	17.7	22.5
径流补给	26.0	26.6	11.8	20.1	-1.1	48.8	11.7	30.2	20.7
深层渗漏	-21.0	-22.0	-22.8	-13.7	-27.5	-36.2	-5.2	-23.0	-21.4
模拟总流量	-5.0	-5.4	-8.8	6.4	-27.8	-13.2	8.2	17.8	-0.2
直接表流	20.6	13.0	8.2	15.0	-2.2	36.9	9.0	20.9	15.2
延时表流	10.8	3.5	4.8	4.4	1.5	11.8	4.2	3.3	5.6
渗漏水流	-36.4	-21.9	-21.8	-13.1	-27.0	-35.5	-5.1	-6.4	-20.9
外部水流	-0.9	-0.5	-0.6	-0.3	-0.6	-0.8	-0.1	-0.2	-0.5

河流量的影响；运用不同的气候方案，估计了区域年水量可用率的变化和莱茵河季流量的变化。根据温室气体排放方案，采用了为政府间气候变化小组开发的两种气候方案：一种是照常方案(BaU)，维持现有的发展趋势，预计矿物燃料的使用将大大增加；另一种是加速政策方案(AP)，主张执行充分的环境保护政策和更加严格的国际条约。对于这两种排放方案，运用 RHINEFLOW 模型进行了三轮计算，其中一轮计算使用了"最佳推测"的降雨和温度变化范围，最佳推测采用预期的气温变化平均值和对 7 个 GCM 试验得出的降雨量加权平均值，另外二轮计算采用了 90% 的较低和较高置信极限。

　　RHINEFLOW 模型可以分析莱茵河流域水量平衡分量的月变化情况，输入温度和降雨标准气象变量，采用地貌、土地利用、土壤类型和地下水流特征等地理数据，这些参数存储在空间分辨率为 3km × 3km 的 GIS 栅格内。Thornthwaite-Mather 方法可以计算实际蒸发蒸腾量和蒸发蒸腾能力，温度指数方法可以计算降雪量与融雪量，这两种方法被用来计算总蒸发量、径流量和融雪量。该模型将月剩余水量分为当月流出的直接径流和延时径流，运用湖泊蓄水量和冰川储水量的变化来校正河川径流计算，生成河川流量的时间序列，还可以生成许多水文变量的时空分布图，这些水文变量包括实际蒸发蒸腾量、蒸发蒸腾能力、降雪概率和积雪覆盖历时等。

图2-5举例说明了两种政策方案下莱茵河Lobith站估计的流量变化。研究结果表明不定因素的范围很大，这使人们对目前通用循环模型（GCM）的降雨模拟产生了怀疑。降雨情况是目前气候变化的关键参数。对所有方案进行调研的结果表明年水量的变化不大。莱茵河的情势将从现在的融雪和降雨联合补给河道向完全由降雨补给河道方向变化。在任何情况下，莱茵河下游地区目前冬季平均大流量和秋季平均小流量之间的差额应该增加。

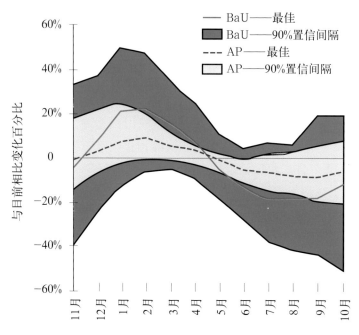

图 2-5　最佳推测 Lobith 站（德国、荷兰边界）的月流量变化
和两种方案 90% 置信间隔

3　流量预报

莱茵河流域各国都有流量预报中心，负责各自的流量预报。这些预

报中心密切合作，交流相关信息和技术，有些中心全年运转，而有些中心只在洪水期运转，预报结果通过传真、电话、电台、电视和录像发布，所有预报都有法律或行政指导依据。

当流量达到一定的临界值时，洪水警报将传送到警报中心，该中心负责把警报发送到相关部门。航运和供水部门主要关心枯水流量预报。预报有利于防洪、航运、水电站运行、河流建设、水库蓄洪调度和有关临危人群转移及实施防洪保护措施的决策制定。预报期为6～66h。由于没有充分准确的气象预报，目前不可能延长预报期。预报数据每时或每日都在更新。

山区流域的预报手段主要是利用降雨——径流模型。预报是基于每三天一次的定量降雨和温度预报，降雨雷达用于定性评估，下游预报主要使用统计方法和洪水演算程序。一般不采用降雨预报。运用气象卫星图像作定性解释。

莱茵河Rheinfelden流域面积34 500km²，其流量预报是通过详细的流域模型进行的，最长预报期为64h，预测14个子流域和Rheinfelden流域水位和流量的每小时平均值。由于该区域的主要部分位于阿尔卑斯山脉或其山麓小丘，积雪覆盖和融化是影响流量的决定性因素。阿尔卑斯边界的大型天然湖泊除一个外其余的都可以调节流量，因此在预报系统中也考虑了它们的有关调节作用。实际预报依靠下列变量的输入：

- 约30个自动水位记录仪或流量监测站的每2小时瞬时值；
- 42个自动气象站测得的每小时降雨总量；
- 40个气象站的每日3次气温读数和每日2次雪厚读数。

连续3天的预报期必须基于对降雨和温度的定量预报，以便适应较短的洪水波行进时间（从最高处的湖到Rheinfelden流域，洪水波行进时间一般为10～12h）。

从14个子流域的源头起，对每个流域进行了流量预报。每个子流域的预报流量作为输入数据合并到下游站的流量预报模型中，并汇编进入间流域的气象资料。考虑到子流域的面积较小、有关反应和行进时间，预报模型采用1h步长，分5个子模型：

- 子模型1：每小时降雨在时间和空间上的插补；
- 子模型2：确定阿尔卑斯山区融雪量；

- 子模型 3：子流域非线性降雨—径流模型；
- 子模型 4：大型湖泊的非线性蓄水量；
- 子模型 5：河道内线性洪水演算。

预报系统组织结构见图2-6。由于系统一直处于良好状态且系统管理员密切关注水文事件，所以长期运行结果表明无论是数据流、软件还是硬件都没出现问题。模型不仅代表了洪水预警的一个组成部分，同时给防洪决策部门提供了便利，而且有助于扩大洪水警报站测量网络的时空信息的应用。

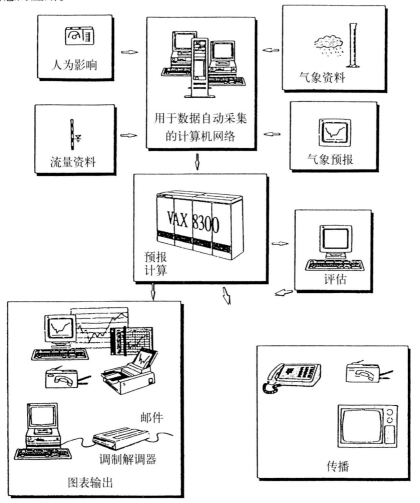

图 2-6　瑞士预报系统的组织结构

4 莱茵河警报模型

1986年瑞士靠近巴塞尔（Basel）的Sandoz工厂失火，导致大量化学物质随同灭火器溶液流入莱茵河，化学物质严重破坏了莱茵河生态系统且影响了水的利用。对这次事故分析表明：当时运用了不适当的方法来预测污染物在莱茵河河道中的传输。因此，莱茵河沿岸国家的部长们决定委托莱茵河流域水文国际委员会和保护莱茵河国际委员会开发有关方法和模型，对莱茵河污染物的传播时间和浓度分布进行可靠预报。

在开发的初期阶段，采用了非常简单的方式模拟污染物自然净化过程。例如，假设只有纵向扩散、污染物完全直接与下泄的侧向来水混合、水流稳定、污染物只作线性分解（如果发生的话），其结果是：在第一个警报模型中运用了一维对流扩散方程（泰勒方程），该方程以水流状况和纵向扩散为基础描述了河道中污染物质的运动。该模型没有准确计算出污水的传播时间，但是确定了水位和流量的函数值。该模型还结合运用了一些重要水电站的调度方案。

对第一个模型变量进行验证，结果表明：该模型可以精确地预测污染水体的传播时间，这与人们的预料相吻合；然而污染物最高浓度的计算仅在有些案例中是准确的，并且一段时间内污染物浓度分布与实测不一致。在自然情况下，经常发现污染物浓度分布不均，而一维模型无法对此进行模拟。所以在原模型中加入了停滞区域的影响，将一维模型转变为"准二维模型"。现在该模型被称为莱茵河警报模型。由于计算时间短，一旦事故发生，预警和警报中心能立即预报事故对下游的影响，并实施限制措施。

为了率定和验证该警报模型，在莱茵河及其主要支流上进行了示踪测试。与其他方法相比，示踪测试能够进行1∶1比尺的物质扩散试验模拟，所以为模型提供了有用的参数。示踪测试使用了100～200kg的荧光示踪剂铑和铀。

现在，能够借助该模型预测每个选定观测点的污染浓度变化过程和整个河流的最高污染浓度的迁移情况。图2-7显示了模型计算的输入菜单和输出结果。莱茵河警报模型是国际预警和莱茵河警报系统的永久组成部分，该系统包括沿莱茵和Mosel河的8个主要国际预警中心，各中心24小时有人值班，一旦发生突发性污染，就立即向下游预警中心发送

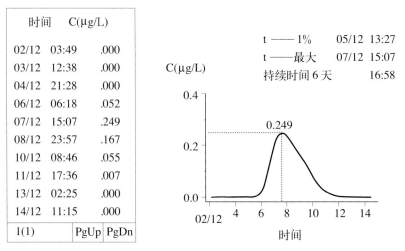

┌─ 08-23-1993 ──── ICPR/CHR 莱茵河警报模型 V2.1 ──── 08:19:54 ─┐

(1)标题	=第 1234 次泄漏	
(2)泄漏河段	=上莱茵河	泄漏长度(km) = 171
(3)泄漏类型	=平面式	对数 = 24
(4)扩散系数	=默认值	
(5)一半使用期限(T)	=没有故障	
(6)漂浮物	=没有	
(7)观测范围	=莱茵河流域	
(8)观测河段	=上莱茵河	观测长度(km) = 800
(9)事故日期	=8811-2712	

ICPR/CHR 莱茵河警报模型 V2.1

第 1234 次泄漏		污染物　123.30kg(=98.1%)
泄漏长度	莱茵河 171km	
观测长度	莱茵河 800km	
事故日期	1988 年 11 月 27 日 12:00	

时间	C(μg/L)
02/12　03:49	.000
03/12　12:38	.000
04/12　21:28	.000
06/12　06:18	.052
07/12　15:07	.249
08/12　23:57	.167
10/12　08:46	.055
11/12　17:36	.007
13/12　02:25	.000
14/12　11:15	.000
1(1)	PgUp PgDn

t —— 1% 　 05/12　13:27
t —— 最大 　 07/12　15:07
持续时间 6 天 　 16:58

图 2-7　运用莱茵河警报模型计算污染物运动的输入菜单和输出结果

信息，并通知负责减灾的管理部门。这些中心接受来自工业、航运、相关城市居民、水警或国际监测站的报告，不断对水质进行生物监测和化学分析。警报模型极大地改善了下游预警中心有关污染水体运动的知情状况。莱茵河沿岸所有国家都同时制定了具体的防治污染措施，但仍不可能完全控制突发性污染。

参考文献

1 Aschwanden,H. and Weingartner,R.(1985):Die Abflussregimes der Schweiz, Publikation Gewässerkunde, Nr. 65, Bern

2 Bultot, F., Coppens, A., Dupriez, G. L., Gellens, D. and Meulenberghs, F. (1988): Repercussions of a CO_2 doubling on the water cycle and on the water balance−A case study for Belgium, J. Hydrol., 99:319∼347

3 Bultot, F., Gellens, D., Spreafico, M., Schädler, B. (1992): Repercussions of a CO_2 doubling on the water balance−A case study in Switzerland, J. Hydrol., 137:199∼208

4 CHR, Kalweit, K. et al (1993): Der Rhein unter der Einwirkung des Menschen, Bericht Nr. I-11 of the International Commission of the Hydrology of the Rhine Basin, p. 260

5 CHR, Spreafico, M., van Mazijk, A. et al (1993a): Rhine Alarm Model, Bericht Nr. I-12 der CHR, p. 122

6 Kwadijk, J., (1993): The impact of climate change on the discharge of the River Rhine, University of Utrecht, p. 156

7 LHG (1988): Hochwasserereignisse im Jahre 1987 in der Schweiz, Mitteilung Nr. 10, Berne, p. 142

8 LHG (1991): Ursachenanalyse der Hochwasser 1987, Mitteilung Nr. 14, Berne, p. 192

第三章　供　水

1　莱茵河自来水厂及其组织机构

莱茵河因其充满浪漫气息的河谷、城堡及葡萄酒，而不是因其发挥了重要的供水作用而闻名于世。但是，莱茵河流域是一个人口密集、高科技企业集中的地区，同时又是一个重要的农业生产基地。所有著名的德国葡萄酒都产自莱茵河流域，奔驰汽车、保时捷汽车、Opel汽车及福特汽车也都产自这里。这里还是化学产品的集中产地（图3-1），共有104家化工厂，如BASF、Bayer、Ciba Geigy及Hoechst。约5 000万人的生活污水经过处理后要排进莱茵河。

但是，像苏黎世、巴塞尔、斯特拉斯堡、斯图加特、法兰克福、美因兹（Mainz）、科隆、杜塞尔多夫、阿姆斯特丹这些城市的饮用水来自何处呢？地下水开采受年均天然补给量的限制，这个补给量满足不了人口密集地区的需要，不得不利用例如河岸过滤等方法来增加地下水的可开采量。因此，约2 000万人依靠莱茵河及其支流和莱茵河流域内的湖泊作为饮用水源，自来水厂不得不采取一些措施以保证安全供水。

莱茵河流域自来水厂国际协会（IAWR）代表了欧洲7个国家119个自来水厂，这7个国家分别是荷兰、德国、比利时、法国、瑞士、列支敦士登及奥地利（图3-1）。该协会成立于1970年，分为三个区域协会，即RIWA（Samenwerkende Rijn-en Maaswaterleidingbedrijven）、ARW（Arbeitsgemeinschaft Rhein-Wasserwerke）和AWBR（Arbeitsgemeinschaft Wasserwerke Bodensee-Rhein）。这些自来水厂都认识到只有国际合作才能最终解决莱茵河水质恶化问题，要求对水资源进行预防性保护，并对莱茵河卫生状况提出要求：确保充分的自然处理，如河岸过滤，以

作者：Klaus Lindner，德国莱茵河自来水厂协会。

自来水厂(红色)
化工厂(黄色)

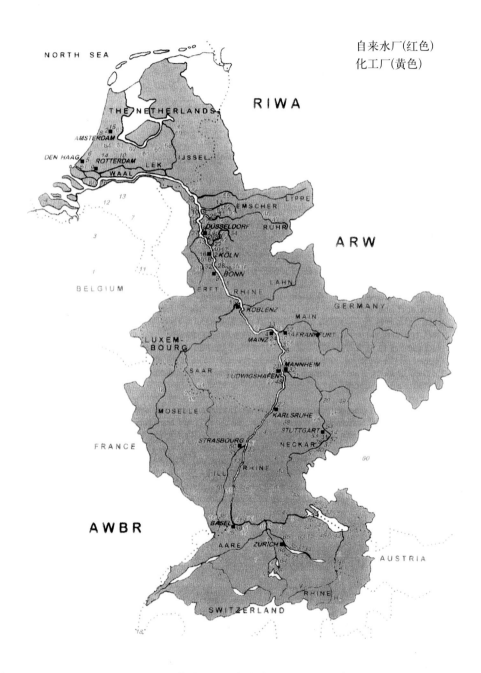

图 3-1　莱茵河流域自来水厂和化工厂分布

便提供保质保量的饮用水。

2　安全取水方法

　　抽取地下水可以实现河岸过滤。地下水无压水面的沉降漏斗形成了坡降，使得地表水渗入地下（图 3-2）。这样，抽水井既得到经河岸过滤后的河水，也得到自然状态下的地下水，这两部分水量比例随着地下水无压水面与河流实际水位差的不同而不同，也随着抽水速率及井与河之间的距离不同而不同。

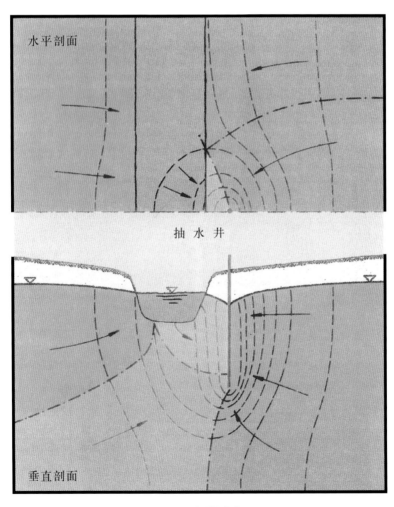

图 3-2　河岸过滤

与技术过滤相比，不会回冲河床或河岸以补偿地下阻塞，但是通过生物降解及侵蚀使这种阻塞与清除达到平衡，因此使用河岸过滤的方法已经有了100多年的历史。

对低渗透率砂层及一些河岸过滤地带采用外推测量方法，得到最大安全取水渗透速率为1.67×10^{-6}m/s。这是一个比较合理的数值，介于下莱茵河谷非胶结砂砾层的最大渗透速率5×10^{-3}m/s及黏土层的最小渗透速率1×10^{-9}m/s之间。因此，下游300m宽河床上的安全取水量可达500L/(s·km)。自20世纪70年代初，就依据这个数值设计了抽取河岸过滤水的水井廊道，除了抽取的地下水外，还能抽取1 600万 m³/(a·km)的河岸过滤水。

在地质或其他因素不允许抽取河岸过滤水的地区，需要建立具有多道净化步骤的水处理厂直接抽取河水。净化过的河水回灌到含水层中，让其在地下含水层中自然净化，然后再抽取出来经过工厂过滤处理，生产出饮用水。假如河水水质允许其用于生产饮用水，那么所有这些措施将充分保证足量饮用水的安全生产。

德国平均饮用水消费量与过去的预测（图3-3）不相吻合。以每人每天的需水量139L计，那么2 000万人口每年则需要10亿 m³的水量，这个数值相对于莱茵河每年700亿 m³的径流量来说是微不足道的。但是莱茵河径流分布很不均匀，使科隆市中心在1995年1月发生了洪水。图3-4显示了当年1月30日的洪水位达到了10.69m。图3-5则显示了10个月以后即当年11月10日的莱茵河水位仅为1.96m。即使在枯水期莱茵河也不会缺水，但是存在水质下降问题。

3 控制河流污染的监测程序

自20世纪60年代初，莱茵河水质开始恶化，导致利用河岸过滤方法从莱茵河取水生产出的饮用水有臭味，口感差。鉴于这种情况，自来水厂安装了监测程序，控制河流污染，但是它们只关心与饮用水质相关的参数，而不关心描述河流水质特征的生物参数。

《欧共体饮用水导则》（1980年）对饮用水的64种参数作了限制，其中绝大多数参数对评价河流水质极为重要。新起草的导则将参数减至46个。另外，值得注意的是，这些参数可以描述污染物（如可溶解有机碳（DOC）、可吸附有机卤化合物（AOX）和可吸附硫化物（AOS））群体

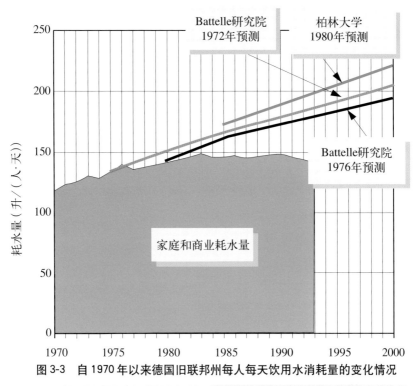

图 3-3　自 1970 年以来德国旧联邦州每人每天饮用水消耗量的变化情况

图 3-4　科隆市 10.69m 的洪水位

图 3-5　科隆市 1.96m 的莱茵河水位

特征,对于河流水质演化具有综合评价作用,并且能够指明污染源。例如,图3-6所示的DOC参数值说明了大量投资污水处理厂几乎导致了河流生物降解物质的完全消失,外加生物处理和河流自净化作用都不能进一步减少水中DOC含量,因此残余的DOC为不能够生物降解的物质。

从20世纪90年代中期开始,莱茵河AOX含量(图3-7)明显降低。这反映了两种情况:造纸厂不再用氯漂白而改用氧漂白;征收排污费总体上减少了AOX的排放。

重金属污染的净化取得了重大成功。图3-8显示了最近20年里位于德荷边界的莱茵河Lobith水域中砷、镉、汞的含量减少了90%以上。

一旦发生事故,污染物流进莱茵河,造成鱼类死亡,危及饮用水源的供应,就必须采取措施分析河水和河岸过滤水中的污染物。开发出来

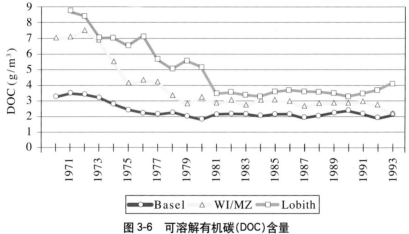

图3-6　可溶解有机碳(DOC)含量

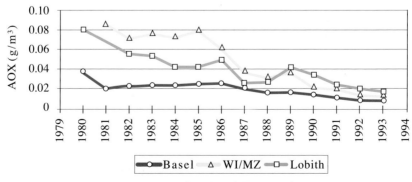

图3-7　可吸附有机卤化合物(AOX)含量

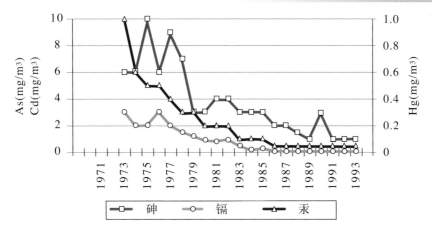

图 3-8　德荷边界的莱茵河 Lobith 水域中砷、镉、汞的含量

的高科技实验设备能够检测出越来越多的单种污染物质。为了避免监测工作中的重复劳动，自来水厂与负责水资源管理的政府机构通过数据交换进行合作。在事故发生或监测系统发现污染物质时，官方国际报警系统就会提醒莱茵河水的使用者注意。

4　安装尖端的水控制设备

虽然莱茵河流域所有的自来水厂对饮用水执行同样标准，但是由于原始水质大不相同，导致它们用于饮用水生产的处理模式也大不相同。河流水质从源头到河口逐渐恶化，另外取水的方法也不一样：一种是从湖泊和河流直接取水（表 3-1），另一种是通过土壤过滤间接提取地表水（表 3-2）。

限制从阿尔卑斯山区较大的清洁湖泊中直接取水生产饮用水。例如，从康斯坦茨湖 60m 深处取水要保证相对稳定的原始水质。

所有直接从莱茵河下游提取的河水先经过净化回灌到地下含水层中，然后再抽取出来生产饮用水。对比表 3-1 和表 3-2，得知需要经过许多处理步骤才能达到与河岸过滤类似的净化效果。表 3-2 中两种情况下抽取的河岸过滤水通过土壤进行了二次过滤。例如，在科隆，河岸过滤水增加了该地区的地下水含量，也有助于稀释地下水中较高的硝酸盐含量。

莱茵河流域自来水厂用于水处理的两个常用步骤是活性炭过滤和通过地下通道自然净化。活性炭可以减少被污染水中的臭味，还可以消除

表3-1　莱茵河沿岸自来水厂直接取水的处理模式

莱茵河（km）			464	507		
取水	Lak-Z	Lak-Co			Lek	IJssel
掺气						
微筛分						
臭氧						
沉淀						
臭氧						
絮凝						
沉淀						
过滤						
臭氧						
活性炭						
渗透						
取水						
掺气						
过滤						
臭氧						
过滤						
软化						
活性炭						
砂层慢滤						
二氧化氯						
城市	Zürich	Sipplingen	Biebesheim	Wiesbaden	Amsterdam	PWN
自来水厂	Lengg			Schierst	WRK/	WRK/ Castric

其他有害物质。这需要合格人员来操纵过滤吸附过程并进行必要的检查。为了了解吸附过程，必须进行大量研究。自来水厂可以利用活性炭确定改善河流卫生状况的优先顺序：首先要控制极不易吸收或不易生物降解的危害物质。

然而，自来水厂对于自然净化过程特别感兴趣，对河岸过滤进行了

表 3-2 莱茵河沿岸自来水厂通过河岸过滤间接取水的处理模式

莱茵河 (km)	498	588		686			702			722	732	758
取水	Limm											
二氧化氯												
掺气												
砂层慢滤												
渗透												
取水												
掺气												
二氧化氯												
软化												
过滤												
臭氧												
凝结添加剂												
过滤												
活性炭												
NaOH/PO4+SiO2												
二氧化氯												
城市	Zürich	Mainz	Koblenz	Wesseling	Köln	Köln	Leverkusen	Leverkusen	Solingen	Wuppertal	Düsseldorf	Duisburg
自来水厂	Hardhof	Petersa	Oberw.	Urfeld	Weiler	Hochk.-W-Bogen	Hitdorf	WWI	Baumberg	Benrath	Flehe, Staad, Holths.	Wittlaer, Kaisers, W.Werth

大量研究。应用地下水模型对于不同河岸过滤地点进行了调查，发现河岸过滤效果很好。在距莱茵河150～200m的水井抽取河岸过滤水，仅有5%高浓度的污染物被抽取，因此河岸过滤对于河流的意外污染起到了重要的保护作用。

提高饮用水质标准与加强水资源保护、采用新设备更新自来水厂密切相关。1995年9月末，阿姆斯特丹市政饮用水供水公司在一次科学会议上介绍了他们的新净化系统：在现有的处理过程中添加了臭氧化和活性炭过滤，同时进行生物降解以清除水中农药、降低有机化合物含量，所以还需要进行氯化处理。

5　水资源保护的要求

莱茵河流域自来水厂要求对水资源进行保护，这样只需通过自然处理就可以生产饮用水。自然处理意味着生物降解。为了达到饮用水标准，自来水厂推导出了一套控制莱茵河河水污染的水质目标参数。推导原则是：很难生物降解的物质必须控制在准入标准之内，而这个标准接近饮用水标准。考虑到河流中污染物暂时峰值不会直接影响抽取的河岸过滤水质，自来水厂的新水质目标定为90%，如表3-3所述。

莱茵河水的氯化物、导电率、钠、铵、DOC、AOX、Atrazine农药、Simazine农药、Diuron农药和Isoproturone农药指标尚未达标。另外，莱茵河流域自来水厂于1995年签订了备忘录,就水资源保护作了如下总体要求：

- 水污染控制目标：使莱茵河流域自来水厂在任何时候都能生产出合格饮用水；
- 为了达到欧洲饮用水质高标准，必须对水资源进行预防性保护；
- 在实施提高莱茵河及其支流和湖泊水质的措施时，应考虑生态关系；
- 优先保护饮用水资源不受污染；
- 在莱茵河流域要绝对遵循这样一个原则：不能让目前改善的水质再次恶化；
- 必须有效减少面源有害和有毒物质对水造成的污染；
- 莱茵河监测需要官方管辖；
- 水资源保护需要每个人的努力。

表 3-3　按 90% 计的污染物准入标准

温度	℃	25	铬	mg/L	0.025
臭味稀释系数		5	镍	mg/L	0.01
饱和氧	%	>80	汞	mg/L	0.000 5
电导率	mS/m	70	硒	mg/L	0.005
着色	1/m	0.5	可溶解有机碳(DOC)	mg/L	3
pH 值		6.5~8.5	UV 灭火剂(254nm)	1/m	10
氯化物	mg/L	100	多环芳烃	μg/L	0.1
硫酸盐	mg/L	100	可吸附有机卤化合物(AOX)	μg/L	25
硝酸盐	mg/L	25	可吸附有机硫化合物(AOS)	μg/L	80
铵	mg/L	0.3	农药	μg/L	0.05
钠	mg/L	60	有机卤化物总量(TOX)	μg/L	5
氰化物	mg/L	0.025	四氯化碳	μg/L	1.5
锑	mg/L	0.002	三卤代甲烷总量	μg/L	5
硼	mg/L	0.2	易分解的合成配位剂	μg/L	10
砷	mg/L	0.005	不易分解的合成配位剂	μg/L	5
钡	mg/L	0.7	其他易分解的异生物	μg/L	10
铅	mg/L	0.005	其他不易分解的异生物	μg/L	5
镉	mg/L	0.003			

6　结论

为了保证饮用水源安全，莱茵河沿岸自来水厂采用了各种各样的措施保护水资源，运用监测程序控制河流水质变化情况，研究新的分析方法以便了解未知的微污染物，与政府机构及化工厂合作，控制饮用水源中的有害物质含量，安装高科技净化设备，以便改进自来水厂的处理能力。这些自来水厂成立了专门的实验室，不断改进水资源管理，因此为成功改善莱茵河流域的卫生状况作出了很大贡献。

过去莱茵河沿岸的城堡象征了政府对河流的拥有权，而如今这些自来水厂在控制莱茵河水质变化方面起到了类似作用。

参考文献

1　Rijncommissie Waterleidingbedrijven (RIWA) (1980): Producenten van in Nederlands Oppervlaktewater aangetroffen organisch-chemische Stoffen in de Stroomgebieden van Rijn en Maas; Amsterdam

2　Internationale Arbeitsgemeinschaft der Wasserwerke im Rheineinzugsgebiet (IAWR) (1995): Trinken aus dem Rhein - Bilanz und Perspektiven; Amsterdam

3　Großer Erftverband (1971): Basisplan Nr. 1 zur Sicherung der Wasserversorgung im Verbandsgebiet; Bergheim

4　Bundesverband des Gas- und Wasserfaches, BGW-Wasserstatistik 1994, Bonn

5　Fokken, B., Lindner, K. (1993): Zehnjährige organisierte Zusammenarbeit der Behörden und der Wasserwerke am Rhein; ARW-Bericht

6　Haberer, Klaus (1994): Trinkwassergewinnung am Rhein; Wasser und Boden 3/1994

第四章　水　质

1　概况

虽然莱茵河不是世界上最长的河流,但它在为2 000万人提供饮用水源并接纳他们的生活污水方面发挥了重要作用,所以它是世界上最重要的河流之一。工业和人口的高度集中使得它的水运十分繁忙。第二次世界大战后,特别是由于工业复苏、城市重建,莱茵河水质开始下降。到了20世纪70年代初期,由于生态保护措施远远落后于经济发展速度,莱茵河污染严重,被称为"欧洲的下水道"。从此,为恢复莱茵河生态系统和持续保护莱茵河,相继采取了一系列国际行动,并取得了明显成效。

2　监测战略与监测站

为了确保水体保护措施的有效性,在莱茵河及其支流沿岸建立了水质监测站,从而形成监测网络。如今,莱茵河从瑞士至北海入口之间有9个国际水质监测站(图4-1),采用先进的监测手段对河水进行监控。最初的监测着重于水体测量,后来监测对象逐渐扩展到悬移质、底质和生物相中众多化学物质,还增添了生物监测手段。现在每个监测站都有有效的早期水质预警系统,通过连续生物监测和在线化学监测,对短期和突发性污染事故进行预警。

莱茵河流域成员国和具体国家的职责部门开展了相关的国际协调监测活动,其他非政府机构,如莱茵河流域自来水厂国际协会(IAWR)则关注一些特殊问题,与上述各机构进行合作。

作者：Harald Irmer,德国北莱茵河－威斯特伐利亚州环保局。

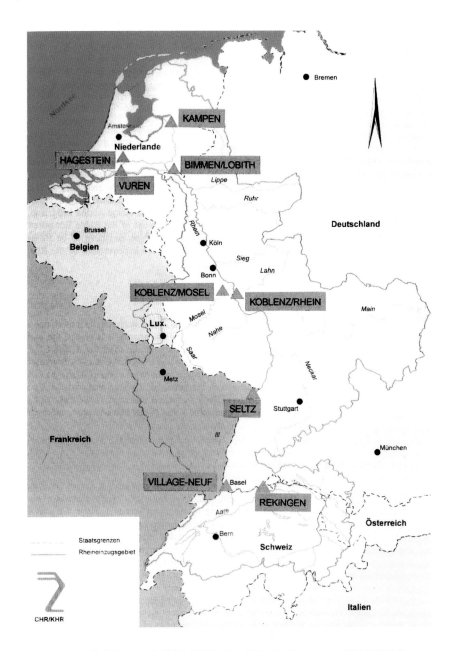

图4-1 莱茵河国际水质监测站位置示意图（根据CHR索引地图修订）

3　莱茵河生物状况

大型底栖生物数量通常作为水质综合评价指标，特别是评价河流受有机物和有毒物质污染的程度，所以它也用于河流水质分类系统。图4-2给出了1969～1994年下莱茵河水质变化过程。

从20世纪70年代中期开始，随着河水污染程度减轻，大型底栖生物数量也随之增长，生物种类逐渐接近20世纪初所调查的数量，但是种群组成发生了变化，一些敏感物种如各种石蝇已消失，又出现了一些新的物种。如今，这种现象可解释为生物群落的恢复与变异，这在水质分类系统中被认为是"中度污染"，也就是说实现了水体保护的目标之一。

4　化学污染与现状

从20世纪60年代起，人们就致力于改善莱茵河水质，因此莱茵河水质得到了改善，但仍存在问题。

4.1　溶解氧和耗氧有机物

二次世界大战后至20世纪70年代初期，由于大量未经处理的污水排入莱茵河，导致河流中溶解氧的含量非常低（图4-3）。随后几年实施了大量的水质保护计划，莱茵河沿岸建立了工业废水和城市生活污水处理厂。自20世纪80年代初期，莱茵河水溶解氧含量维持在一个较高水平，下游河段也是如此。目前，即使在枯水期，河水中溶解氧也可以得到及时补充和恢复。近几年来，根据位于德荷边界监测站的测量，河水中溶解氧的最低浓度已超过规定的鱼类最小临界值6mg/L。

由于采取机械和生物净化手段对生活和工业污水进行了处理，所以易降解有机物污染明显减少了。随着莱茵河自净能力的增强，进一步降低了易降解有机物污染。

4.2　无机盐

沿莱茵河有两处河水的氯化物浓度明显升高，一处是上莱茵河一家碳酸钾厂排水造成的，另一处是下莱茵河采矿和化工厂排水引起的。在荷兰，莱茵河水除了其他多种用途之外，还被用于温室作物灌溉，因此含有大量氯化物的河水给荷兰带来了许多问题。

在规定流量条件下，当德荷边界河流的氯离子浓度超过200mg/L

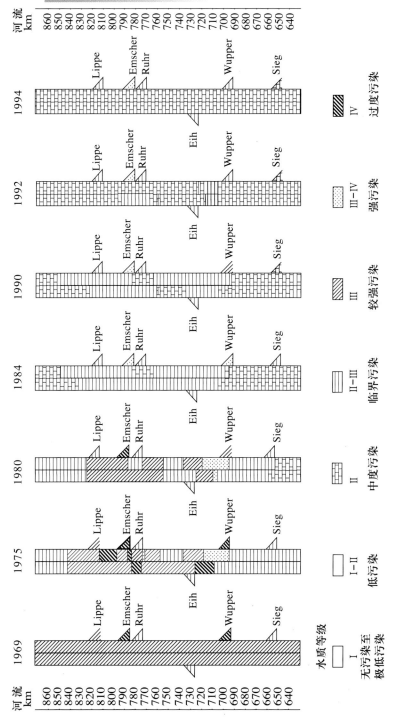

图4-2 德荷边界莱茵河水质（基于选定生物指标所作的评估）

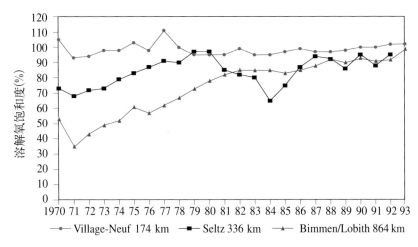

图4-3　1970～1993年莱茵河在瑞士和德荷边界间的3个监测断面
溶解氧饱和度多年平均变化曲线

时，目前对氯化物污染的控制措施是暂停碳酸钾厂排水。

4.3 营养物质

由于使用含磷洗涤剂和过量施用化肥，世界上绝大多数湖泊和河流，
其中也包括莱茵河，出现了富营养化问题。1975年德国颁布了一项《洗
涤剂和清洁剂法规》（1986年修订），规定了磷酸盐的最大值。目前，无
磷洗涤剂已占领市场。德国通过调整洗涤剂成分，磷的入河排放量由
1975年的42 000t减少到1990年的5 000t以下。三级净化要求水体完全
除磷，因此欧共体对城市污水处理厂提出了更严格的要求，在今后的几
年里，磷污染负荷有望进一步削减。

铵氮的排放也有相似的结果。由于污水处理中使用硝化工艺，铵氮排
放量明显减少，由此却导致了莱茵河水中硝酸盐氮含量一直较高(图4-4)。
考虑到上莱茵河和北海富营养化程度增加，必须削减进入莱茵河的营养
物质。现行的措施是脱氮，这也是上述欧共体对城市污水处理的要求。下
一步努力的方向是减少农用化肥造成的污染。

4.4 重金属

自20世纪80年代中期，采取了先进实用的污水清洁措施，极大地
降低了莱茵河水中重金属含量。重金属污染控制主要是在生产过程中采
用清洁生产工艺，而不是重点依靠末端治理。欧共体依据欧洲各国实情

逐渐建立了标准体系。图4-5给出了下莱茵河鱼类可食用部分中重金属含量的平均值。各国食物法要求食物中铅、镉的含量不得超过最大值,有时鱼片中含汞量过高,因此需要采取措施进一步削减汞的含量。

莱茵河淤泥由于吸附并富集重金属,被称做"河流污染见证物"。目

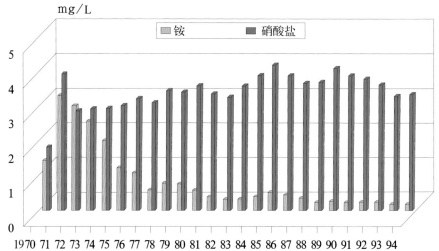

图4-4 德荷边界莱茵河铵氮和硝酸盐氮多年平均值

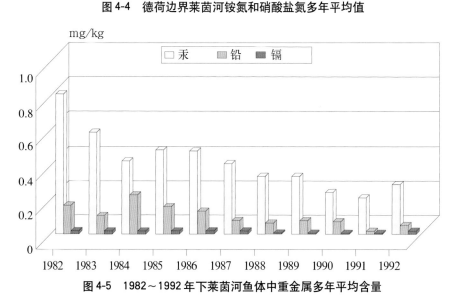

图4-5 1982~1992年下莱茵河鱼体中重金属多年平均含量

前测定结果显示淤泥中重金属含量太高,因此无法将淤泥作为泥土加以利用。这个问题在荷兰尤为突出,为了保障港口航运畅通,必须对河道

进行疏浚。

4.5 微量有机污染物

在莱茵河淤泥、悬移质和水中检出微量有机污染物已达300种。由于采取了更好的污水处理技术、推行了清洁生产以及对某些物质实行了禁排或限排等多项有效治理措施，微量有机污染物的污染水平总体上呈递减趋势。近几年，莱茵河中有机合成氯化物主要成分AOX浓度明显降低，就是一个很好的例证（图4-6）。这也是造纸工业在制浆和造纸中改用氧漂白代替氯漂白的结果。另外，德国在1990年修订《污水收费法》（1976年）时，增加了AOX这项参数，实施"谁污染谁付费"的原则，缴纳生态保护税，成为实际工作中的指导性文件。

根据生态毒理实验数据，已对30多种有机物制定了环境目标限值。从目前总体对比情况看，2/3的有机污染物浓度都已达到了环境目标限值或者在分析限值以下。但是，还存在氯仿、γ－HCH（林丹）和六氯苯污染，尤其六氯苯是莱茵河典型的污染物，上莱茵河淤泥中仍含有大量的六氯苯，洪水期间可输移到下游。

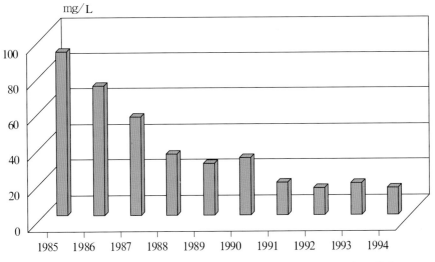

图4-6　1984～1994年下莱茵河可吸附有机卤化物（AOX）多年平均值

5　莱茵河行动计划

1986年11月1日瑞士Sandoz仓库发生火灾，造成10～30t农药和易燃品随灭火水流进入莱茵河，严重影响了脆弱的莱茵河生态系统。为有效解决这个问题，保护莱茵河国际委员会（ICPR）各成员国部长会议于1987年10月1日正式通过了"莱茵河行动计划"，主要目标如下：

- 珍贵鱼类重返莱茵河（以"鲑鱼2000计划"，即鲑鱼在2000年重返莱茵河上游作为本目标的实现标志）；
- 保证莱茵河继续作为饮用水源；
- 持续减少淤泥污染；
- 改善北海的生态状况（于1989年增补）。

为实现上述目标，减少点源和面源污染是必须做的一项工作。表4-1给出了1985年至1992年点源污染物入河量的削减率。记录的污染物含量与所报道的河流允许污染物入河量相一致，充分显示了国际合作的成果。

表4-1　1985～1992年莱茵河点源污染物入河削减量

1990年或1992年未测到的入河污染物	削减份额		
	80%～100%		70%～79%
莠去津（一种除草剂）	镉	氯苯胺	镍
	铬	硝基氯苯	
保棉磷（一种杀虫剂）	1,2-二氯乙烷	聚氯联苯	
	四氯乙烷	可吸附有机卤化合物	
敌敌畏	三氯甲烷	五氯苯酚	
	三氯乙烷	保棉磷	
杀螟松	四氯化碳	倍硫磷	
	苯	硝苯硫磷乙酯	
马拉松（一种杀虫剂）	六氯苯	有机锡	
硝苯硫磷甲酯	六氯丁二烯	复合物	
西玛津（一种除草剂）	氯苯胺		
	60%～69%	50%～59%	30%～49%
氟乐灵（一种除莠剂）	铜	汞	氨
双对氯苯基三氯乙烷	锌	1,1,1-三氯乙烷	硫丹
	铅	三氯苯	4-氯甲苯
二氧(杂)芑	2-氯甲苯	总磷	

6　结论——改善生态系统

尽管莱茵河水质已有明显改善，但是在未来几年内还有大量工作要做，要减少面源污染，如硝酸盐和农药污染。为了莱茵河流域生态的可持续发展，要采取工业安全预防措施，最大限度降低事故风险和洪灾损失。

我们对实现总体生态计划目标持乐观态度。"莱茵河行动计划"的目标之一是恢复莱茵河干流的生态系统，使之成为复杂生态系统的骨干部分，为敏感的迁徙鱼类（"鲑鱼2000"）提供栖息地，主要内容包括保护、维持和改善莱茵河重要的生物河段和河谷，以保持当地动植物的多样性。

参考文献

1　ICPR（1987）：Rhine Action Programme; ICPR, technical-scientific secretariat, Koblenz, Germany

2　ICPR (1991): Ecological Master Plan for the Rhine – "Salmon 2000"; ICPR, technical-scientific secretariat, Koblenz, Germany

3　ICPR (1993): Report on the State of the Rhine; ICPR, technical-scientific secretariat, Koblenz, Germany

4　LUA (1993): Rhine Quality Report of North Rhine–Westphalia'92; State Environment Agency North Rhine-Westphalia (LUA NRW), Essen, Germany

5　ICPR (1994): The Rhine–an Ecological Revival; ICPR, technical-scientific secretariat, Koblenz, Germany

6　ICPR (1994): Salmon 2000; ICPR, technical–scientific secretariat, Koblenz, Germany

第五章　航运、发电及其他

1　概况

西北欧有利的地理条件使得那里的内陆航道货运显得非常重要。对主要河系均进行了系统开发，开挖了一些人工运河，并将它们连成了河网（图5-1）。最近几十年来，内陆航运占长距离内陆运输总量的比例一直维持在25%左右。这些河流和运河的水运功能应与下列其他功能和用途协调：

- 保证河道流量；
- 保证饮用水源和其他消耗性或非消耗性用途的取水；
- 容纳冷却水、处理水及部分废水；
- 发电；
- 渔业；
- 休闲活动、水上运动和娱乐；
- 保护动植物天然栖息地。

2　内陆航运

特别对大宗货物来说，内陆航运是一种安全、省钱、高效、节能和环保的运输手段。运输材料按重要次序排列为施工材料（特别是砾石、砂、石和水泥）、矿石、石油、煤、铁、粮食、盐、肥料及化工原材料。事实证明驳船是运输危险品的安全工具，这些危险品包括石油产品、液化天然气以及化工产品。除此以外，运输超重量和超体积货物，内陆航运是必不可少的。过去几年，集装箱运输发展得非常快，客运仅限于游船、旅游和娱乐。这里需要特别强调的是，内陆航运与铁路运输和公路

作者：Volkhard Wetzel，德国联邦水文研究所。

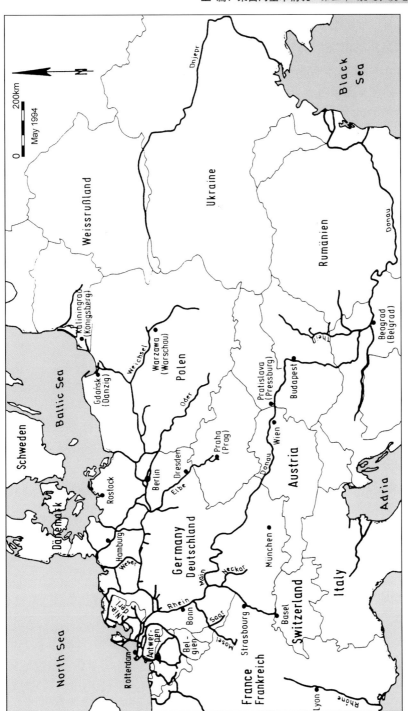

图 5-1 欧洲的主要航道

运输相比，能源消耗较低。根据同样的实际运输量，内陆航运、铁路运输和公路运输的能源消耗之比为1∶1.2∶4.3。在过去的25年内，驳船每吨载重的运输能力差不多增加了一倍。港口装卸速度的提高和航道航运条件的改善，提高了水运能力。下列因素促使了内陆航运结构发生变化：

- 拖驳改为机动船；
- 开始应用顶推航运方式；
- 淘汰不经济的、运输能力差的船只；
- 建造更大的、更经济的船只；
- 启用雷达以便日夜连续作业；
- 运用雷达和无线电通信手段。

最重要的船只为运输能力大的机船和拖驳，行驶在大航道上。它们以三种方式运作：

- 单个机动船；
- 拖驳船队，由一个机动推轮和最多三条驳船组成；
- 拖驳船队，由一个推轮和最多六个推驳组成。

  内陆航运今后的主要发展趋势为：
- 既能用于海岸航行又能用于大的内陆航道航行的大船；
- 适宜于海岸航行的内陆船；
- 提高集装箱运输能力，目前一条110m长的船只可运输200～210个20英尺的集装箱，以后要增加到280～300个集装箱；
- 开发双体船以便运输液体和气体等有害货物；
- 运用大马力、高速度的船，提高运输能力，并开发双体船和多体船（双体船、三体船）；
- 改进船只和航道装备，以便船只日夜作业。

3 航道分级

欧洲的内陆航道是按照可通过的船只和驳船队的规格（长度、宽度、吃水深、吨位）来进行分级的（图5-2）。

欧洲内陆航运的核心问题是莱茵河上有国际船队作业，目前差不多有11 300只船，其运输总量大于1 100万t。莱茵河的运输容量约为2.9亿t，等同于每年62亿t·km。莱茵河将其河口的北海港口和中欧工业密集地连接起来。莱茵河和多瑙河之间的运河已于1992年建成，从而形成

内陆航道类型	内陆航道分级	机动船和驳船规格					顶推轮-拖驳航运					最小桥梁净高(m)
		名称	最大长度(m)	最大吃水深(m)	吃水深(m)	载重量(t)	形式	长度(m)	宽度(m)	吃水深(m)	载重量(t)	
1	2	3	4	5	6	7	8	9	10	11	12	13
	IV	Johann Welker	80~85	9.50	2.50	1 000~1 500		85	9.50	2.50~2.80	1 250~1 450	5.25 或 7.00
	Va	莱茵河大船	95~110	11.40	2.25~2.80	1 500~3 000		95~110	11.40	2.50~4.50	1 600~3 000	5.25 或 7.00 或 9.10
国际重要性	Vb							172~185	11.40	2.50~4.50	3 200~6 000	9.10
	VIa							95~110	22.80	2.25~4.50	3 200~6 000	7.00 或 9.10
	VIb		140	15.00	3.90			185~195	22.80	2.50~4.50	6 400~12 000	7.00 或 9.10
	VIc							270~280 195~200	22.80 33.00~34.20	2.50~4.50 2.50~4.50	9 600~18 000 9 600~18 000	9.10
	VII							285	33.00~34.20	2.50~4.50	14 500~27 000	9.10

图5-2　欧洲内陆航道分级

49

了一个通过莱茵河和多瑙河连接北海和黑海的航道,总长度达 3 600km。因此,这个航道的河网有效地连接了 15 个欧洲国家,使它们关系更加紧密。

长 110m、宽 11.4m、最大吃水深 4.5m、载重量 4 500t 的大型机动船可以在莱茵河上航行。除了单个船只外,总长 270m、载重量 1.5 万～1.8 万 t、共有 6 条驳船的船队可以在下莱茵河航行。推轮带动 4 条驳船的船队可在中莱茵河和上莱茵河航行。

4 莱茵河航道开发

莱茵河发源于瑞士的阿尔卑斯山,流经康斯坦茨湖,交替着朝北朝西流向荷兰,形成三角洲汇入北海。该河在三角洲分裂成很多支汊,三角洲以上的流域面积为 16 万 km²,整个流域面积为 18.5 万 km²。

该流域的气候和雨型主要受大西洋影响。其降雨情况一方面受大西洋影响,另一方面受阿尔卑斯高山和高地影响,导致极为均衡的河川径流。简单地说,莱茵河水在夏季来自高山融雪,在冬季则来自高地上的降雨,所以这里的水文条件对航运特别有利。莱茵河流域多年平均降雨量为 900mm,是欧洲雨量最为丰沛的流域。莱茵河全年流量相当均匀,独特的地质地貌条件造成了一定梯度的河床。高山区莱茵河流过康斯坦茨湖的坡度为 0.8‰,在进入莱茵河板岩山区前,上莱茵河末端宾根(Bingen)处的坡度已降为 0.1‰,流过这些山丘后,坡度又增至 0.4‰,直至流入北海时坡度趋近零(图 5-3)。

早期的上莱茵河河床不是我们现在所了解的这样。莱茵河平原曾是沼泽地,疟疾困扰着当地的居民。河床在整个流域中蜿蜒,每次洪水过后,河槽就有所变化,小岛时而形成时而消失。大概在 1815 年开始整治莱茵河河道(图 5-4),整治规划考虑了以下几个目标:

- 减少洪水危险;
- 降低地下水位,改善农业土地的利用;
- 为居住和农业开垦滩地;
- 减少疾病危害(疟疾等);
- 沿莱茵河划分德国和法国边界;
- 改善航运条件。

河道整治的观点是以控制河道流量的规律为基础的,就是说河道的

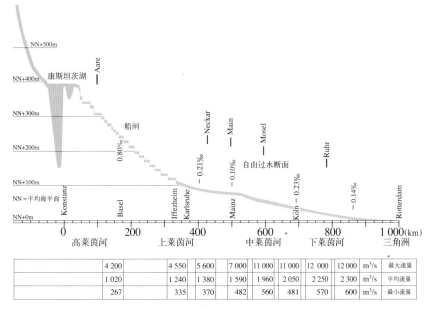

图 5-3　莱茵河纵剖面图

		高莱茵河	上莱茵河		中莱茵河		下莱茵河		三角洲		
		4 200	4 550	5 600	7 000	11 000	11 000	12 000	12 000	m³/s	最大流量
		1 020	1 240	1 380	1 590	1 960	2 050	2 250	2 300	m³/s	平均流量
		267	335	370	482	560	481	570	600	m³/s	最小流量

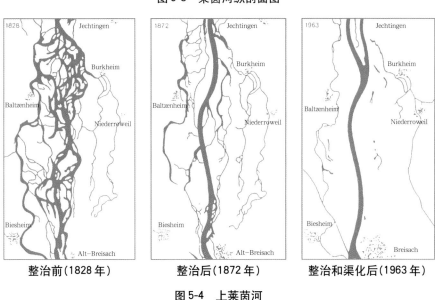

整治前(1828 年)　　整治后(1872 年)　　整治和渠化后(1963 年)

图 5-4　上莱茵河

静水特性是流量、横断面、纵坡度和水深的函数。因此，沿莱茵河纵向或横向修建了建筑物，迫使其自动刷深河床，对河流的弯道和蜿蜒部分也进行了裁弯取直。总的来说，河床坡度增加了，河流冲刷着新河床。随

51

着时间推移，由于底坡增加、河道缩短，河床刷深了7m，地下水位以相同数量级下降。

根据法国和德国之间签订的条约，法国取得了上莱茵河水电开发的权利。当时，法国用混凝土板衬砌了一个支渠，切断了与地下水的相互作用，结果地下水位进一步下降，有些地方生物栖息草地干枯。为了减轻和改变上莱茵河地貌和河流遭受的损害，河道得到了进一步整治。采用所谓的环路解决办法，使水穿过截水槽下渗到蓄水发电站下游河床中去，这样恢复了河道和地下水的相互作用（图5-4a）。但是，最后一级的蓄水堰下游又出现了冲刷，因此河床和地下水位存在继续下降的危险。1969年通过了一个协议：修建新的蓄水建筑物。由于公众的生态意识有了很大提高，虽然该建议的主要目标是防止更多损害，但是在实施这种技术措施时还是遇到了严重阻碍。经过长期、持久的调查，同意用人为提供底沙的办法来代替新堰的修建，这意味着要将适当尺寸的砾石倒入河道，以防止进一步冲刷或扭转现状。

目前，每年向最后一个蓄水堰的下游河床倾注粗砾石约17万 m³。

早期的中莱茵河和下莱茵河河床也在重复地变动，河流被很多小岛和牛轭湖分汊，平均流量时河流宽度扩大至450m。在18世纪，开始了第一个防洪整治工程，消除了河道几个分汊，并裁直了狭窄的弯道。

从1880年至1900年，对平均流量的河床作了全面疏浚，加深了宾根和Emmerich之间的航道，奠定了莱茵河作为欧洲内陆航运重要航道的基础。自1900年以来，不断改进河道整治，包括丁坝和导流堤的修建、航道疏浚和冲刷回填。

河道整治以后河床冲刷不断加深、水位下降，使得下莱茵河航道的养护日益困难。21世纪初，Ruhrort测站的水位下降了约1.5m。在20世纪50年代及60年代，河床刷深每年近4cm。在很多河段中，当河底很不均匀时，这种演变过程会造成更多的沙滩和狭带。同时，港口和二级水道的水深因没有流量通过而下降。岸边地区地下水位下降，导致供水减少、牛轭湖干涸，草地面临沙漠化的威胁。1970年实施了一些小的整治工程，局部改善了航运条件，但是没有实现建立和保持一个底沙平衡与稳定的河床目标。从以下的过程中可以找到河床冲刷的主要原因（图5-5）。

流域内底沙的滞留情况：

图 5-4a　上莱茵河河道开发方案

随着小溪的整治、地面的铺路以及较小河流的正常养护（包括材料清除），底沙滞留开始了。莱茵河的主要支流，如 Neckar 河、Main 河、

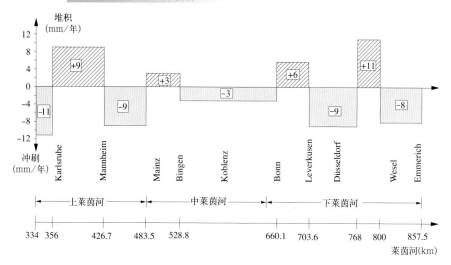

图 5-5　1981～1990 年底沙平衡状况下平均河床的多年平均变化情况

Lahn河、Mosel河和Ruhr河均已蓄水，最后上莱茵河本身也蓄水，这些进一步加重了底沙滞留。护岸工程减少了岸边冲刷，也减少了底沙。另外，下莱茵河的底沙输送能力增强，主要是由以下几个原因造成的：第一是下莱茵河裁弯，缩短了河道；第二是降低河岸糙率，调整了平均水流；第三是修筑堤坝，减少了蓄滞洪区。其他原因，如船只马力增大和船体变大，也使底沙输送能力增强，起初回卷浪和船体的影响只能造成底沙的局部移位，但是再次悬浮的细沙很容易被长距离输送。河床冲刷的另一个原因是在下莱茵河人为采挖床沙，用于工程建设。此外，允许在莱茵河下开采煤矿，造成了河床和蓄滞洪区的沉降。

目前，河道工程项目的目的是：使河床成为一个水力均匀的河床，河底坡度稳定，底沙输送平衡，即底沙输入量差不多等于输出量。如果主航道水深小于通航水深，则不可避免地造成河床变化。计划实施的工程项目有：

- 各类丁坝系统；
- 在平均流量河床上修筑导流墙；
- 冲刷回填；
- 防波堤；
- 滩地建堤。

为了完成这些建设项目，需要对河道进行局部疏浚（图5-6、图5-6a、

图 5-7 和图 5-8）。

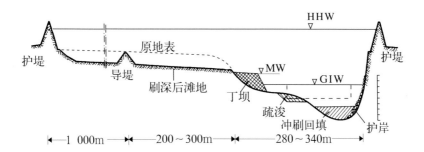

图5-6　河道整治中各个工程项目

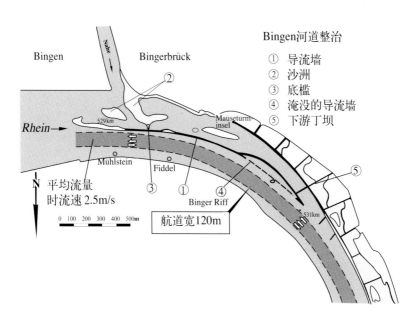

图5-6a　Bingen 河道整治

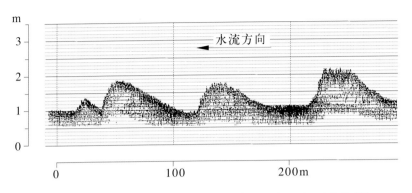

图 5-7　莱茵河 508km 处靠近 Mainz 的水下沙丘（回声仪施测）

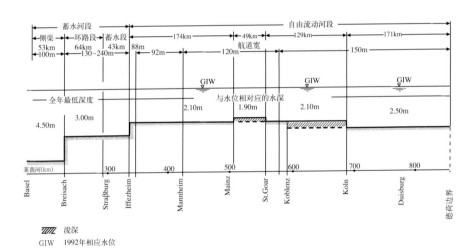

图 5-8　莱茵河（从巴塞尔至德荷边界）航道水深和宽度

5　运行、养护和管理

5.1　内陆航道上设置航标

为了安全和方便航行，航道上设置清晰的航标是非常重要的，而且是必不可少的。莱茵河上的航标和航灯是按国际规则设置的，这些规则均按欧洲内陆航行规范制定，规范对内陆航道上所采用的信号、航标和航灯作出了建议。

莱茵河所有航道上均用浮筒做航标，顺着流向，右手侧用圆顶红色浮筒做航标，而左手侧用尖顶绿色浮筒做航标。航道分汊口、危险河段和航行障碍物处用特殊浮筒做标志。为了船只在晚上或能见度差的情况下继续行驶，在两岸设置了清晰的、易见的、方向性的航灯。莱茵河上浮筒和航标有特殊的雷达射线反射器，以便雷达定向。信号板提供交通状况的其他相关信息和导航信息。

5.2 无线电发布航海信息

利用无线电发布航海信息，是将船上的无线电台和地面的政府无线电台联结起来，专门播放航行信息和船舶安全信息。地区无线电中心一天24小时在班，固定时间广播航道状况、浅滩情况、航道施工情况、船舶意外事故以及水位等信息。除此，地区无线电中心坚持为航运做好报告发布和信息服务工作。在运输危险品时，特别要用到这些信息。

5.3 水位和洪水警报服务

监测网站监测莱茵河水位变化，通过远距离数据传送与地区中心联结。另外，公共无线电台和电视台专门节目（有些地方）每天广播水位情况。主要的监测站均配备了电话应答机。洪水警报服务是与联邦州（Länder）合作开展的。从枯水位到洪水位预报技术是需要深入研究和开发的课题，这项工作的重点不仅是洪水预报，更重要的是开发枯水位和平水位的预报模型，以便在航道水深和荷载方面更好地指导船只操作者。

5.4 水文

为了莱茵河的养护和发展，设置了一个综合水文服务机构。它需要下列数据：

- 水位（过程线、水位、概率和循环频率）；
- 河道流量及水位流量关系、流速；
- 河道和运河的横断面、河床形状和状态；
- 泥沙和悬移质运动；
- 水质；
- 水文气象情况；
- 地下水位；
- 结冰过程。

5.5 环境保护

开发原有水道常常受已建生态建筑物的干扰。在德国，《环境影响评估条例》要求：

- 必须事先确定、描述和正确评估水道开发对环境的影响；

- 必须尽早考虑环境影响的研究结果，以便政府机关在审批各个工程时作出正确决定。

既然不能避免对环境的影响，那就必须将这些影响减至最小并采取补偿措施。如果一种措施不符合实际，那就代以其他适合的措施。政府机关有责任在其职责范围内在水道的开发和养护方面提倡自然保护和景观保护。水道开发工程的环境评估需要进行大量的调研工作。为了配合这类开发项目，10%～30%的总投资必须用于补偿措施。在水道开发项目完成后，需要一个监测软件来分析其对环境的影响，论证补偿措施的有效性。

5.6　管理

为了保护德国本土的航运利益，《联邦航道法》为莱茵河的养护、开发和运作提供了法律依据。为此，专门成立了一个管理机构，负责航运安全和通畅。该机构直属德国运输部，并设有区域间董事会和办公室，负责河流和运河的一些河段。所有进一步开发莱茵河的工程，如疏浚、河道整治等，均由私人公司承担。养护工程则由国营企业和私人公司联合实施。近年来，主要工程特别是所有养护航道的疏浚工作均已分配给私人公司，而不再分配给国营企业。

5.7　莱茵河国际航运管理公约

早在1868年就制定了一个国际公约（Mannheimer Akte），声明莱茵河航道对所有国家的船只开放，用以运输货物和旅客。与德国其他所有航道对比，在莱茵河上航行不缴任何费用。该公约责成沿河各国对本国适合通航的河道进行养护和设置航标。莱茵河航运中央委员会(ZKR)根据该公约进行工作，颁布统一的交通和航运规则和规定。莱茵河位于欧洲的中心部位，有关莱茵河的国际公约和协议是积极开发该河航运的先决条件。

6　发电

莱茵河以两种方式用于发电：

- 在莱茵河上建水电站；
- 作为大型矿物燃料发电厂或核能发电厂的冷却水。

莱茵河有两处河段特别与水电相关：一处是高山区莱茵河段，另一处是上莱茵河段，都建了水电站。高山区莱茵河段在 Schaffhausen 和

Basel之间的落差为150m，相对狭窄的河谷为水力发电提供了有利条件。另外，上游湖泊和水库造成了这里的河道流量相对均匀。莱茵河水力发电已有120多年的历史，共有12座水电站，装机容量在30～120MW之间，其中绝大多数的装机容量为30～50MW，高山区莱茵河上12座水电站的平均发电蕴藏量约为4 200MW·h(图5-3和图5-4a)。

　　到1978年止，上莱茵河及其支渠上建造了10座水电站，它们的装机容量在100～200MW之间，优等规模是170MW，这10座水电站的最大输出功率为150万kW，多年平均发电量约为85亿kW·h。

　　这里将Iffezheim水电站和堰作为实例进行描述(图5-9、图5-10和图5-11)。该堰根据7 500m³/s的洪峰流量进行设计，有6个闸门，每个闸门净宽20m，每个口门有一弧形闸门和一个可调外伸门叶。这些闸门通过两个对称的传输器由水力增压圆柱筒来驱动，运用计算机全程控制该堰的一切功能，在洪水时可以调低该堰的蓄水位。

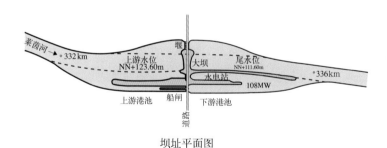

坝址平面图

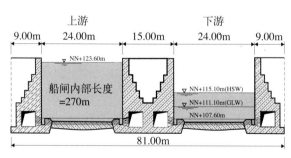

闸室横断面

图 5-9　Iffezheim 蓄水堰

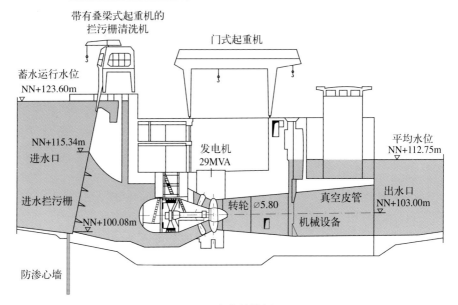

图 5-10　水电站横剖面图

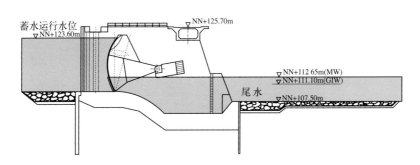

图 5-11　活动堰横剖面图

Iffezheim 水电站的中轴线与堰、拦河坝和闸门通道的中轴线一致。该水电站横排4套贯流式水轮机,其转速为100r/min,总流量为1 100m³/s,水头落差为11m,最大发电量为112MW。在紧急停机情况下,水轮机可以切换至空载模式,保证60%的正常流量通过,其余水流由自动控制系统从堰顶导流。

早期,在高山区莱茵河和上莱茵河上专门为水力发电蓄水。当石油成为主要能源、核电得到利用时,不再仅为发电在莱茵河及其支流上修建水电站。但是,在为了其他目的如保护景观和改善航道等而修建蓄水建筑物时，通常也结合考虑发电。

参考文献

1　Internationale Kommission für die Hydrologie des Rheingebietes (ed.) (1993): Der Rhein unter der Einwirkung des Menschen-Ausbau, Schiffahrt, Wasserwirtschaft; Bericht Nr. I-11 der KHR, Lelystad

2　Der Rhein und die westdeutschen Kanäle, Wasser-und Schiffahrtsdirektion West, Münster

3　Rost, Klaus: Die geopolitische Lage des Rheins, Deutsch-Russisches Symposium 1992

4　Dröge, B.: Arbeitsberichte zum Rhein, Bundesanstalt für Gewässerkunde, Koblenz

5　Rheinwasserkraftwerk Iffezheim, Baden-Werk AG

第六章　防　洪

1　防洪行动计划 ❶

1.1　前言

1997年仲夏，Oder河流域发出灾害性洪水警报的情景使人不禁想起了1993年和1995年莱茵河所发生的大洪水。当时Oder河的情况与1995年1月莱茵河三角洲荷兰境内的人们所担心的一样，但所幸的是没有在荷兰境内发生险情。然而，Oder河堤防在有的地方没有顶住巨大的洪水压力，造成捷克、波兰大面积受淹和德国较少部分地区受淹，100多人丧生，洪水损失达到数十亿欧洲货币单位。面对洪水造成的损失，人们表现出空前的团结。

洪水灾害和洪水损失仍然是当前的问题。众所周知，由于水利工程干预、无尽的建筑活动以及对沿河地区毫无节制的使用，人类已经加大了河流泛滥的风险。从目前了解的气候变化带来的影响看，在本世纪，包括莱茵河在内的河流泛滥风险可能会普遍提高。因此，提高防洪能力在今后很长一段时间内都是必不可少的。

第12届莱茵河流域部长级会议于1998年1月22日在鹿特丹通过了"防洪行动计划"，项目经费达120亿欧洲货币单位。这项旨在提高预防性洪水保护的行动计划将在以后的20年内实施。这是国际上首次给予莱茵河防洪较大的投入。过去两个世纪以来，由于人类定居或农业发展，莱茵河的自然冲积区已经减少了85%以上。目前采取的对策，如在全流域内划定冲积区、保护和扩大冲积区以及提高蓄洪能力，必须同时以改善莱茵河及其河谷和流域的生态环境为目的。

但是人类必须再次学会与洪水共存。按照目前估计，可能受到洪水

---

❶ 作者：保护莱茵河国际委员会。

风险影响的总资产约合15 000亿欧洲货币单位。将来如果没有专门的洪泛区，在确定土地利用和区域规划项目时，必须考虑洪水带来的风险。必须提高风险意识，加强公众和工商企业的个体预防措施。在具有常规防洪保护措施但在极度洪水情况下仍存在风险的地区采取适宜的建筑不失为避免或减少损失的较好方法。莱茵河新三角洲为易受洪泛区，因此存在洪水泛滥的问题。

防洪行动计划最重要的目标是至2005年减少洪灾损失10%，至2020年减少损失25%；至2005年治理过的上莱茵河下游的极限洪水位降低30cm，至2020年极限洪水位降低70cm。这些宏伟目标只有通过全体参与者密切而富有建设性的合作，才能实现。迄今为止，必须用地方、地区、国家和国际范围内综合反应和行动的思路来替代熟练行业的思维方式。首先要关注与水资源管理、区域规划、自然保护、农业和林业相关的政策领域。

1998年1月22日，莱茵河流域的部长们明确要求所有责任部门即使在财政紧张的情况下也要优先实施所需的防洪措施。

因此，我们充分相信防洪行动计划将被迅速实施，只有在团结的基础上才能实现这个具有远见卓识的伟大目标。让我们积极行动起来，肩负起对莱茵河流域人民的责任，牢记只有共同行动才能完成这项神圣的工作。

让时间来证明我们有能力采取有效的防洪措施，能够做出协调一致的反应和行动。

1.2　最初形势

在1993年和1995年洪水泛滥期间，沿莱茵河、Mosel河和默兹河的许多城市都再次被淹。1995年荷兰境内险些溃堤。出于防范目的，撤离了成千上万人。据估计，洪灾损失达数十亿欧洲货币单位。

这些洪水事件清楚地表明：

- 洪水泛滥是自然现象，必须定期对其进行评价；
- 由于流域内土地开发、河道治理以及自然蓄洪区的减少，洪水威胁的情势变得更加严峻；
- 莱茵河沿岸的堤防和其他防洪建筑无法保证绝对的安全；
- 易受洪泛区内的住宅区和厂矿企业等面临洪水损失的风险。

因此，法国、德国、比利时、卢森堡以及荷兰等国的环境部长于1995

年2月4日在Arles发表宣言：必须尽快降低洪水风险。他们绝不能接受这样的情况：在洪水来临之际将人民的生命财产和环境置于如此之大的风险之中。此前，瑞士已经同意该宣言。

防洪行动计划将分阶段进行。因此，可以对阶段性进展进行评价，确保下一阶段应该采取的措施和融资手段。

1.3　目前的任务和工作

在Arles宣言中，负责莱茵河和默兹河的各国环境部长们强调：不仅需要在水资源管理方面采取措施，而且需要在区域规划和土地利用方面（如与农业和林业、自然保护、住宅区的开发以及娱乐用途等有关方面）采取措施。

莱茵河、Sarre/Mosel河以及默兹河各流域委员会负责就区域规划方面的综合防洪措施草拟行动计划。

1995年2月，保护莱茵河国际委员会（ICPR）委托"防洪行动计划"项目组草拟莱茵河及其流域的行动计划。该行动计划还包括采取措施不断改善莱茵河及其洪泛区的生态环境。与此同时，开始在Sarre/Mosel河以及默兹河采取类似行动。

就区域规划而言，法国、德国、荷兰、比利时和卢森堡等国的相关部长抓住了这次跨界的各学科间合作机会，于1995年3月30日在斯特拉斯堡宣言中宣布成立"莱茵河/默兹河区域规划和防洪"跨国工作组。欧盟在其倡导的INTERREG Ⅱ C框架内对这些活动提供支持。以此为基础的操作计划定名为莱茵河和默兹河综合治理计划(IRMA)，从1997年至2001年对莱茵河和默兹河沿岸地区强制实行特殊的防洪措施。

在政策或社会的其他领域已经开始或开展了相当多的国际性防洪御洪行动。它们也是莱茵河流域行动计划的基础。

1.4　原则

洪水泛滥是一种自然现象。水位的自然变化是河流的部分特性。这就是河流动力学和典型洪泛区形成的基础。当强降雨落至土壤，但土壤由于前面的降雨已经饱和或冻结而不能吸收水分时，便会发生极限洪水泛滥。人类即使可以对极限洪水施加影响，其程度往往也非常有限。人类的各种干预活动已经明显改变了河流情势。因此，防洪的始点是尽可能挽回人类对河流情势的干预。这就意味着不仅要首先增加地表和洪泛区的蓄水能力，而且要降低易受洪泛区的洪灾风险。

洪水损失是两个独立机制相互影响的结果。在人类活动的影响下，自然水位较高。同时，人类增加了河流沿岸的财富价值和损失风险。在一定时段内，洪水暴发与风险区内财富积累相碰撞，便会造成巨大损失。

为了普遍保护和恢复水生生境和陆生生境，特别是莱茵河谷，行动计划的措施必须与现行措施与计划措施相配合。为了补偿过去生态环境的不足，改善生态环境状况也必须纳入所有跨学科计划。

Arles宣言和斯特拉斯堡宣言当然会要求采取地方、地区、国家和国际范围内的联合反应和行动。就此而论，要求水资源管理、区域规划、自然保护、农业和林业等方面对防洪作出贡献。

1.4.1 水资源管理的贡献

- 通过提高土壤下渗能力、蓄水和恢复洪泛区来削减洪峰流量；
- 确保径流过水能力，必要之处扩展河道以增加径流过水能力；
- 对流域内的河流采取还原措施，以降低流速；
- 利用防洪堤和防洪墙进行防洪；
- 提高预报水平，延长早期预警期。

1.4.2 区域规划和城市发展的贡献

- 在制定土地开发和区域规划时，考虑防洪问题；
- 保护现有和潜在的径流区和蓄水区；
- 杜绝不适宜地使用洪水风险区并增强风险意识，以限制损失风险；
- 在城市发展中考虑河流因素：贮蓄和下渗城市住宅区的降雨；
- 通过保护和发展空旷地区来削减洪峰流量。

1.4.3 自然保护的贡献

- 恢复洪泛区和水体的自然状态，以削减洪峰流量；
- 保护和恢复整个流域内能够蓄水的湿地，以削减洪峰流量。

1.4.4 农业和林业的贡献

- 提高农业区的下渗能力，以削减洪峰流量；
- 辟出行洪区，以削减洪峰流量；
- 开展适宜的农业耕作，以减少侵蚀；
- 发展天然林和造林，以削减洪峰流量。

这些政策领域的紧密合作将有利于同时实现多目标措施的计划。就防洪目的而言，并非所有措施都是适宜的。但从其在多个政策领域的积极作用来看，这些措施却是合理的。

如果要持续限制洪水灾害，对水体沿岸地区的使用施加影响则是极为重要的。与仅对洪水泛滥施加持续影响相比，其成功速度要快得多。通常降低洪灾损失比降低洪水位要容易得多。

除了采取各政策领域的行动之外，加强预防性措施十分重要。这个问题直接关系到所有可能涉及洪灾的公民、工业和商业。

1.4.5 个体防范的贡献

- 采用适宜的建筑，甚至在具有常规防洪保护措施但仍有可能遭遇罕见极度洪水的地区也要采用适宜的建筑，以减少损失；
- 工商企业采取适宜的措施来避免或减少损失；
- 采取适宜的内部措施(如应急计划)，以避免因洪泛引起的水污染。

就生活的其他方面而言，参加保险不失为一种支持性的个体防范手段。

1.4.6 防洪保护的五个指导性原则

- 水是大自然的组成部分——水是地表和土地利用的大自然生态圈的组成部分，在制定各种政策时必须加以考虑；
- 蓄水——尽可能延长莱茵河沿岸及其流域的蓄水时间；
- 扩展河道——必须扩展河道，使径流速度放慢，不造成任何危险；
- 保持危险意识——尽管作出了各种努力，仍存在一定的风险，人类必须再次学会在生活中面对洪水风险；
- 综合协同行动——在整个流域采取综合协同行动是本行动计划取得成功的前提。

1.5 行动目标

行动计划已经准确确定了与相应内容紧密相关的行动目标。与这些目标相关的措施列在后面，必须分阶段有序地实施。行动计划的目标是预防所有洪水情况，而非仅仅预防极端洪水事件。这些目标既雄心勃勃又切合实际。

行动计划确立了如下目标（参照年为 1995 年）：

- 降低灾害风险——至 2000 年灾害风险不再增加，至 2005 年灾害风险降低 10%，至 2020 年灾害风险降低 25%；
- 降低洪水位——至 2005 年降低蓄水河段下游极限洪水位 30cm，至 2020 年降低 70cm；
- 增强洪水意识——至 2000 年绘制完成 50% 洪泛区和洪水风险区的

风险图，至2005年绘制完成100%洪泛区和洪水风险区的风险图；

- 改进洪水预报系统——通过国际合作在短期内改进洪水预报系统，至2000年延长预见期50%，至2005年延长预见期100%。

对一系列措施的效果进行了估计，以此为依据制定了这些政治目标。根据措施类别、支出费用和效果，已经对所有措施列表。

1.6　措施类别

在表6-1、表6-2、表6-3中，对五类措施的预期效果和支出费用进行了比较。其比较是就2000年、2005年和2020年分别进行的。为了有一个清晰的总体概念，以1998年为起点对预期效果和支出费用进行了列举。

就整个莱茵河沿岸地区所有的洪泛情况而言，这些措施不可能取得相同的效果。因此，不能简单地罗列相加不同措施的效果，而应该针对某一特定地区的特定的一场洪灾所取得的地方和区域效果汇集在一起，以便精确总结效果。

根据如今掌握的气候变化所产生的影响，本世纪全球（也包括莱茵河流域）发生洪水的可能性很大。由于现有的不确定性，目前所实施的所有防洪措施应该尽可能同时服务于多个目标。有些措施不仅防洪效果卓著，而且也实现了其他政策领域的重要目标（如河道复原）。这种"无遗憾"政策在选择措施时具有很大的灵活性。

我们已经尽可能地对有关防洪效果进行了量化。然而，对某几类措施而言，必须就其对防洪的效果和其他效果作定性说明。为了标明各国和各种政策领域在行动计划中所占的比例，用圆形分格统计图列出了三个阶段行动计划的支出费用(图6-1～图6-6)。

1.7　确保计划的执行、融资和有效性

莱茵河沿岸各国广为接受的防洪行动计划是制定莱茵河沿岸地区未来防洪政策的基础。估计分三个阶段进行的行动计划（至2000年、2005年和2020年）的执行费用将达到120亿欧洲货币单位左右。相比而言，处于莱茵河沿岸洪水风险区内的价值约计15 000亿欧洲货币单位。本行动计划不仅包括由国家来实施的措施，而且还包括由非国家来实施的措施。在这种情况下，就需要有关各国创造所需的一般政治条件。

行动计划措施的执行要求对整个莱茵河流域的总体目标而不是孤立的某项措施的局部成绩作出超越国家和国界的正确的政治评价。但是，

表6-1　莱茵河防洪行动计划措施调查（1998～2000 年）

措施类型	防洪效果	其他效果	估计费用 (100 万欧洲 货币单位)
(1) 莱茵河流域内的蓄水			
● 河道复原(1 280km)	● 对周围环境几乎没有影响	● 恢复水生和陆生生境	129
● 恢复洪泛区(100km²)	● 局部影响	● 地下水回灌，恢复水生和陆生生境	250
● 粗放式农业耕作(800km²)	● 对周围环境几乎没有影响	● 地下水回灌，建立新的栖息地	135
● 自然发展与造林(450km²)	● 对周围环境几乎没有影响	● 地下水回灌，建立新的栖息地	88
● 拆除封闭层(90km²)	● 对周围环境几乎没有影响	● 减轻污水管道和污水处理厂压力	70
● 技术性蓄洪(400 万 m³)	● 局部影响	● 建立新的栖息地	50
			722
(2) 莱茵河沿岸的蓄水			
● 恢复洪泛区(5km²)	● 局部影响	● 地下水回灌，恢复水生和陆生生境	60
● 技术性蓄洪(3 300 万 m³)	● 降低洪水位：5cm	● 建立新的栖息地	136
			196
(3) 技术性防洪			
● 维修和加固防洪堤,使其达到防洪水平(730km)	● 降低洪灾损失风险	● 加强直接面临洪灾风险人员的安全	965
(4) 规划区的预防性措施			
● 适宜洪水泛滥风险的资源利用	● 不增加洪灾损失风险	● 避免土壤侵蚀	13
● 绘制易受洪泛区和洪水风险区的地图	● 影响50%的洪泛区和易受洪泛区	● 加强洪水风险意识	
(5) 洪水预报			
● 改进预报系统	● 延长预见期：50%	● 加强沿河居民安全	4
● 加强合作	● 改进水情发布系统		
合　计	(1)(2)两项措施降低洪水位 5cm		1 900
各类措施不仅起到防洪作用，而且也实现了其他政策领域的目标，如河道复原。			

表6-2　莱茵河防洪行动计划措施调查（1998~2005 年）

措施类型	防洪效果	其他效果	估计费用 (100 万欧洲货币单位)
(1) 莱茵河流域内的蓄水			
● 河道复原(3 500km)	● 对周围环境几乎没有影响	● 恢复水生和陆生生境	340
● 恢复洪泛区(300km²)	● 局部影响，对莱茵河沿岸几乎没有影响	● 地下水回灌，恢复水生和陆生生境	750
● 粗放式农业耕作 (1 900km²)	● 对周围环境几乎没有影响	● 地下水回灌，建立新的栖息地	440
● 自然发展与造林 (1 200km²)	● 对周围环境几乎没有影响	● 地下水回灌，建立新的栖息地	237
● 拆除封闭层(800km²)	● 对周围环境几乎没有影响	● 减轻污水管道和污水处理厂压力	615
● 技术性蓄洪 (2 600 万 m³)	● 局部影响，对莱茵河沿岸几乎没有影响	● 建立新的栖息地	333
	降低洪水位：5cm		2 715
(2) 莱茵河沿岸的蓄水			
● 恢复洪泛区(20km²)	● 降低洪水位：5cm	● 地下水回灌，恢复水生和陆生环境	385
● 技术性蓄洪(6 800 万 m³)	● 降低洪水位：15~20cm	● 建立新的栖息地	290
			675
(3) 技术性防洪			
● 维修和加固防洪堤，使其达到防洪水平(815km)	● 降低洪灾损失风险	● 加强直接面临洪灾风险人员的安全	1 090
(4) 规划区的预防性措施			
● 适宜洪水泛滥风险的资源利用	● 不增加洪灾损失风险	● 避免土壤侵蚀	38
● 绘制易受洪泛区和洪水风险区的地图	● 影响100%的洪泛区和易受洪泛区	● 加强洪水风险意识	
(5) 洪水预报			
● 改进预报系统	● 延长预见期：100%	● 加强河边居民的安全	12
● 加强合作	● 改进水情发布系统		
合 计	(1)(2)两项措施降低洪水位25~30cm		4 530

各类措施不仅起到防洪作用，而且也实现了其他政策领域的目标，如河道复原。

表6-3　莱茵河防洪行动计划措施调查（1998～2020年）

措施类型	防洪效果	其他效果	估计费用 (100万欧洲 货币单位)
(1) 莱茵河流域内的蓄水			
• 河道复原 (11 000km)	• 对周围环境几乎没有影响	• 恢复水生和陆生生境	1 160
• 恢复洪泛区(1 000km²)	• 局部影响，对莱茵河沿岸几乎没有影响	• 地下水回灌，恢复水生和陆生生境	2 030
• 粗放式农业耕作 (3 900km²)	• 对周围环境几乎没有影响	• 地下水回灌，建立新的栖息地	1 705
• 自然发展与造林 (2 500km²)	• 对周围环境几乎没有影响	• 地下水回灌，建立新的栖息地	680
• 拆除封闭层 (800km²)	• 对周围环境几乎没有影响	• 减轻污水管道和污水处理厂压力	1 890
• 技术性蓄洪(7 300万m³)	• 局部影响，对莱茵河沿岸几乎没有影响	• 建立新的栖息地	935
	降低洪水位：10cm		8 400
(2) 莱茵河沿岸的蓄水			
• 恢复洪泛区(160km²)	• 降低洪水位：15～25cm	• 地下水回灌，恢复水生和陆生生境	1 450
• 技术性蓄洪(36 400万m³)	• 降低洪水位：45～60cm	• 建立新的栖息地	960
			2 410
(3) 技术性防洪			
• 维修和加固防洪堤，使其达到防洪水平(1 115km)	• 降低洪灾损失风险	• 加强直接面临洪灾风险人员的安全	1 418
(4) 规划区的预防性措施			
• 适宜洪水泛滥风险的资源利用	• 不增加洪灾损失风险	• 避免土壤侵蚀	60
• 绘制危险地区和洪水风险区的地图	• 影响100%的洪泛区和易受洪泛区	• 加强洪水风险意识	
(5) 洪水预报			
• 改进预报系统	• 延长预见期：100%	• 加强河边居民的安全	12
• 加强合作	• 改进水情发布系统		
合　计	(1)(2)两项措施降低洪水位60～70cm		12 300

各类措施不仅起到防洪作用，而且也实现了其他政策领域的目标，如河道复原。

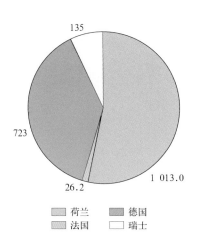

图 6-1 1998～2000 年国家预计费用
（100 万欧洲货币单位）

图 6-2 1998～2000 年政策领域预计费用
（100 万欧洲货币单位）

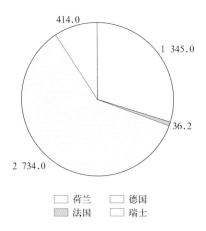

图 6-3 1998～2005 年国家预计费用
（100 万欧洲货币单位）

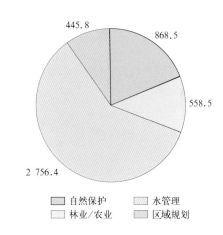

图 6-4 1998～2005 年政策领域预计费用
（100 万欧洲货币单位）

必须对每一项活动的费用和效果进行评价。

如果已经制定了相应的重点政策，即使还没有针对到 2020 年的长期行动计划的资金分配方面的承诺，行动计划的执行还是切合实际的。此外，各沿河国家都会毫无保留地响应号召，在力所能及的范围内，为行动计划的不断实施作出应有的贡献。

然而，财政并非所有措施的制约因素。尤其重要的是要在洪水风险

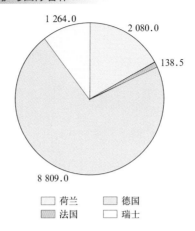

图6-5　1998～2020年国家预计费用

（100万欧洲货币单位）

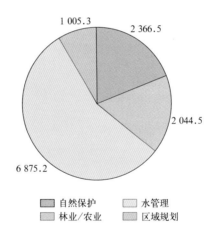

图6-6　1998～2020年政策领域预计费用

（100万欧洲货币单位）

区内控制资源利用，例如，对未来灾害风险施加影响、改进公民和国家机构的防御性策略，都无需什么费用支出。如果不断改善或坚持所有计划的未来工作，那么有关地区发生洪水泛滥的可能性会减少。我们可以据此来检验莱茵河各国愿意在多大程度上控制洪灾损失风险。

　　分别以2000年、2005年和2020年为期限确立行动目标，不仅有利于全程监控计划项目的执行，而且有可能使各方联合实施某类措施。

　　绝不能将行动计划解释为独立的一系列措施，而应该看做是不断用有益经验充实内容的一种框架目标。2001年第一次对计划目标进行了权衡，隔5年和10年后还将分别进行两次权衡。减轻洪水的作用和限制洪灾损失的作用将成为权衡标准。对莱茵河流域的洪水演进进行了大量模拟，以此来证明所采取的防洪措施的功效。

　　由于到2000年底要完成第一阶段计划并对措施效果进行评价，因此需要立即进行洪水模拟，以确定计划措施是否成功。1999年ICPR提出了一个大概想法。行动计划的目的在于调动一切社会力量，以实施所需的措施。首先，来自相关各界的非政府组织参与拟定了这一行动计划。行动计划旨在提高防洪水平，其措施的执行需要广泛的信息，并要与当地受影响的部门交流这些信息。因此，必须切实进行主动的信息交流。为了使这些措施得到广泛的认可，必须有计划地让地方、整个流域乃至整个欧洲的各界人士参与进来。

　　因此，本行动计划是莱茵河沿岸各国政府和非政府组织在各自重要政策范围内就莱茵河防洪所采取的联合行动。只有共同采取行动，尤其是在水资源管理、区域规划、自然保护、农业和林业等领域共同采取行动，才能有效地减少莱茵河洪灾带来的损失。本行动计划成功的另一个决定因素是我们能否成功地、持续地改变所有莱茵河沿岸各国有关洪水风险意识，例如将它们纳入防洪保护的五个指导性原则，这样成为日常决定中的一部分。

1.8　结语

　　防洪行动计划的目标及实现目标的手段表明：只有通过水资源管理、区域规划、自然保护、农业和林业等领域的紧密合作，才可能提高防洪水平。洪水问题的复杂特性要求这些政策领域采取协调一致的行动。任何孤立的行动都无法取得成功，必须采取在这些领域内达成共识的整套措施。在许多情况下，防洪措施同时具有各种不同的功能，对不同方面（如水量和水质管理、住宅区排水、改善生态环境等）产生影响。

附录1

莱茵河流域内滞洪对洪水泛滥影响的评价	对周围环境的影响								对整条河流的影响							
	较小				较大				较小				较大			
	洪水泛滥								洪水泛滥							
▨ 洪水情况的好转	时距	洪量	洪峰	历时	时距	洪量	洪峰	历时	时距	洪量	洪峰	历时	时距	洪量	洪峰	历时
对下列各方面的影响：																
植被：树木、休耕地、草地		▨	▨													
集约牧场、农田				▨												
土壤：密闭而坚实的地表						▨	▨	▨								
霜冻						▨	▨	▨								
生态土壤管理	▨	▨	▨		▨	▨										
地面：住宅区	▨	▨	▨						▨							
森林枯死(大面积)	▨	▨	▨	▨	▨	▨	▨	▨								
取消封闭层/雨水下渗	▨	▨	▨	▨												
河网：小型蓄洪	▨															
复原	▨				▨	▨	▨	▨	▨							
局部防洪			▨				▨									
扩展河道					▨	▨	▨	▨								
支流的技术性蓄洪	▨	▨	▨	▨	▨	▨	▨	▨	▨	▨	▨	▨	▨	▨	▨	▨
防洪堤移位																
—冬堤	▨	▨	▨	▨	▨	▨	▨	▨	▨	▨	▨	▨	▨	▨	▨	▨
—夏堤	▨	▨	▨	▨	▨	▨	▨	▨	▨	▨	▨	▨	▨	▨	▨	▨
开垦夏粮耕地	▨															
技术性蓄洪（堰和蓄洪区）	▨	▨	▨	▨	▨	▨	▨	▨	▨	▨	▨	▨	▨	▨	▨	▨
降低防波堤																
消除局部狭窄段；修建侧渠																
扩展前滩													▨			
降低前滩																

附录 2

措施类型　　　　　　　　　　　　　执行：	至 2000 年	至 2005 年	至 2020 年
流域内的蓄洪			
• 复原河道(km)	瑞士　40	160	760
	法国 100	600	1 500
	德国 800	2 000	7 000
	荷兰 350	700	1 800
• 对现有洪泛区及其使用规则进行法律保护	- - ->	- - ->	- - ->
• 沿支流恢复洪泛区(km²)	法国　0	0	16
	德国 100	300	800
	荷兰　0	0	200
• 彻底实行农业管理,提高土壤的渗水能力和防	法国　0	0	0
止土壤板结等,以增加农田的蓄水能力(km²)	德国 450	1 500	3 500
	荷兰　0	0	0
	瑞士 360	380	380
• 如果以前的农田和造林需要,通过自然开发和	瑞士　50	200	600
辅助的造林措施,增加蓄水能力(km²)	法国　0	0	0
	德国 250	500	1 000
	荷兰 240	550	1 900
• 尽量向农民宣传提高雨水下渗能力的义务,以			
限制未来农村开发区的地表密封,控制渗透	- - ->	- - ->	- - ->
• 对密闭地表的人征收罚款或补偿地表面积			
• 鼓励在交通区和建筑区采取雨水下渗措施(km²)	瑞士　0	0	0
	法国　0	0	0
	德国 90	700	2 400
	荷兰　0	90	90
• 技术性蓄洪(100 万 m³)	瑞士 0.1	1	3
	法国　0	0	0
	德国　4	25	70
	荷兰　0	0	0
莱茵河沿岸的滞洪			
• 汇集现有技术手段,控制并优化蓄水	- - ->		
• 对现有洪泛区进行法律保护并规定它们的用途	- - ->	- - ->	- - ->
• 莱茵河沿岸的技术性蓄洪(100 万 m³)	瑞士　0	0	0
	法国　8	8	24
	德国 25	59	170
	荷兰　0	0	150
• 恢复莱茵河沿岸以前的洪泛区(km²)			
高莱茵河	瑞士　0	0	0
上莱茵河	法国　0	0	0
高莱茵河、上莱茵河、中莱茵河和下莱茵河	德国　1	15	75
莱茵河三角洲、降低前滩	荷兰　4	6.5	87

续表

措施类型　　　　　　　　　　　执行：		至 2000 年	至 2005 年	至 2020 年
技术性防洪				
• 保护现有的、不可缺少的防洪设施，如保持堤防稳定，必要的话加固堤防(km)	瑞士　0	0	0
	法国　0	0	0
	德国　45	130	430
• 提高资产保护水平(km)	荷兰 685	685	685
预防性规划措施				
• 承担起限制洪灾可能造成损失的义务，如在莱茵河河谷及其支流的洪泛区进行适宜建筑和耕作	- - ->	- - ->	- - ->
• 依据相应标准（如概率、洪峰和历时、流速等）绘制主要河流沿岸和已开发地区易受洪泛区地图	- - ->	- - ->	
• 根据对洪灾损失风险的估算（住宅区密度、工商企业数量、居民数量、农业用途、牧场、对洪水泛滥敏感的草地利用），绘制易受洪泛区风险图	- - ->	- - ->	
• 依据易受洪泛区风险图，拟定不同级别的保护计划，逐步实现保护目标	- - ->	- - ->	- - ->
• 向相关人员通报风险以及限制风险的方法，将这些信息与教育相结合	- - ->	- - ->	
• 限制风险的措施，如根据防洪要求修建防洪设施，开发适应风险的住宅区和城镇	- - ->	- - ->	
改进洪水警报和预报系统				
• 建立水文与气象数据通讯网络	- - ->	- - ->	
• 扩展实时降水测报网络，包括改进雷达定量降雨记录系统和最新数据检索系统	- - ->	- - ->	- - ->
• 进一步开发和运用必要的莱茵河及其支流水文预报模型	- - ->	- - ->	
• 加强洪水预报中心的业务合作，详细阐述用于洪水报告的标准术语	- - ->		
• 立刻拟定下列相关的国际标准： 自由交换数据和信息的原则（相关的水文和气象部门、数据范围、费用、普通保险条款等） 各洪水警报、预报中心的协同合作			
• 建立洪水模型	- - ->		
• 依据标准化原则，减少洪水发生的概率	- - ->		
• 进一步研究人为造成的流态变化情况（如水利工程措施引起的流态变化）	- - ->		

2 2000 年防洪行动计划执行情况总结与评价❶

2.1 总结

　　鉴于 1993 年和 1995 年莱茵河流域发生了大洪水，第 12 届莱茵河流域部长级会议于 1998 年 1 月 22 日决定实施保护莱茵河国际委员会（ICPR）的"防洪行动计划"。该计划旨在保护人民生命财产免受洪灾损失，同时改善莱茵河及其洪泛区的生态环境。莱茵河沿岸所有国家将在 2020 年前完成分阶段实施的行动计划。本节是第一个涉及"防洪行动计划"执行情况的报告。

　　截至 2001 年，欧盟已经在 IRMA 计划内补贴了 1.4 亿欧元，以鼓励提高莱茵河和默兹河的防洪水平。沿岸各国政府增加该补贴金额至 4.2 亿欧元左右。目前立项 153 个。

　　同时，莱茵河沿岸各国都通过法律和相应的区域发展规划对大部分洪泛区实施保护，以此对洪水损失风险施加法律影响。由于这些法律手段要经过一段时间之后才能生效，因此必须假设上次洪水发生时尚处于规划阶段的大部分开发区——特别是堤防或其他防洪保护设施后面——现在已经出现了许多没有考虑洪水兼容性的新建建筑，并且在加强地方防洪设施之后洪泛区的财产也增加了。因此，没有实现防洪行动计划的"到 2000 年不增加洪水损失风险"目标。为了鼓励防御性建设和处于洪水风险中的居民采取个人防御措施，必须进一步加强信息发布和洪水意识。

　　莱茵河流域各国已经实施或开始实施旨在提高莱茵河沿岸及其流域滞水能力的措施。这些措施包括：重新确定河堤位置、沿河修建技术性滞水设施、复原河道和以前的洪泛区（给水体留出更多空间）、促进粗放耕作、自然开发、植树造林、促进雨水下渗、在流域内建立小规模技术性滞洪设施。通常还鼓励地下水回灌和巩固莱茵河水系的生态环境。尤其应该做的是重新确定河堤位置，复原河道和提倡粗放耕作。

　　同时，由于采取了措施，已经实现了大部分 2000 年目标（即将上莱茵河蓄水河段下游水位降低 5cm）。1995 年以来，已经借助技术措施建立了 4 200 万 m³ 滞洪区。沿河已建立了 2.2km² 的洪泛区，另外 15km² 的

---

❶ 作者：保护莱茵河国际委员会。

洪泛区正在建设当中，整个流域还开展了其他许多滞水活动。2001年的计划措施完成之后，就能实现水位降低5cm的目标。同时，这些措施有助于强化莱茵河水系的生态功能。

目前，已经界定了沿莱茵河近100%的洪泛区和流域内约40%的洪泛区。到2001年底，ICPR应绘制完成比例为1：100 000的洪水危险和风险图（涉及莱茵河流域低地内所有的洪泛区和易受洪泛区）。这些新图将与洪水损失风险相关的莱茵河地图内容具体化了。因此，就莱茵河干流而言，2001年就实现了2005年的目标。然而，不可能依据这些综合性图进行措施规划。只有在按区域划分或按城市划分的基础上绘制更加详细的图，才有可能规划措施。有些莱茵河沿岸国家已经完成了这项工作，有些国家正在进行这项工作。风险图可以使洪水危险形象化。为了使人们相信防洪的必要性，已经做了许多工作，例如召开研讨会和相关会议、举办与洪水有关的展览、开展地方讨论。如果要采取相应对策，那么处于风险之中的人必须具有洪水危险意识。因此，将来必须强化相应的公共关系工作，并且作为一项长期工作来做。各非政府组织也积极支持这项工作，以加强公众防洪和保护生态环境的意识。

及时的洪水警报是防洪的一个重要组成部分。它可以使人们摆脱危险并且转移可以移动的物品，以避免大量损失。1995～2000年期间，实现延长预报期50%的目标，并保持目前预报的可靠程度。以前，对高莱茵河的预报期为12h，上莱茵河、中莱茵河和下莱茵河的预报期为24h，莱茵河三角洲（Lobith下游）的预报期为48h。如今，对高莱茵河的预报期为18h，上莱茵河、中莱茵河和下莱茵河的预报期为36h，莱茵河三角洲(Lobith下游)的预报期为72h。

总之，可以明确的是：

- 在许多地区，公众的洪水意识已经提高；
- 根据时间表，已经完成了大部分行动计划，这得益于欧盟增加了IRMA计划的补贴；
- 为了把洪灾损失降低到最小程度，必须继续加强公众防御性建设措施的意识，并且继续促进处于洪水风险之中居民采取个人防御措施；
- 必须继续在财政和组织方面作出努力，以便提高滞水能力；
- 按计划支出费用。

为了实现防洪行动计划2005年目标，莱茵河沿岸各国和欧盟在近几年内必须明显加强财政投入。IRMA 等欧盟补贴计划应充分鼓励和促进未来措施的实施。

2.2　评价

防洪行动计划适用于整个莱茵河流域。只有相关各国实施这些一致同意的措施，才能实现防洪行动计划目标。

到目前为止，根据4个行动目标和2000年具体完成情况，评价了防洪行动计划的执行情况。此外，为了明确哪些旨在实现详细目标的工作已经开始或者哪些目标已经实现，正在检查各类措施，并给出今后5年的防洪行动计划重点工作的提纲。

2.2.1　降低洪水损失风险

防洪行动计划要求"至2000年不增加洪水损失风险"。

同时，各种以法律形式保护洪泛区和制定相应区域发展规划的措施已经开始实施。由于实施了这些措施，如今已经有可能通过法律形式在莱茵河沿岸各国保护这些地区。因此，有可能利用法律武器对洪水损失风险施加影响。

然而，这些法律手段经过一段时间后才能生效。因此，在前几次洪水发生后，目前无法评价洪泛区和易受洪泛区内的洪水风险是否已经增加。一方面，沿莱茵河各国的市政当局具有规划权，可以限制国家对防洪的直接影响；另一方面，我们还不具备可靠的评价损失危险是否继续增加或已经减少的评估手段。因此，必须假设上次洪水发生时尚处于规划阶段的大部分开发区——特别是堤防或其他防洪保护设施后面——现在已经出现了许多没有考虑洪水兼容性的新建建筑，并且在加强地方防洪设施之后洪泛区的财产也增加了。为了鼓励防御性建设和处于洪水风险中的居民采取个人防御措施，必须进一步加强信息发布和洪水意识。根据防洪行动计划，到2005年损失风险要下降10%。要做到这一点，还需要对区域规划和城市发展、财产保护、应急计划、预报、撤离、残余风险管理和公共信息等水利工程以外其他方面所采取的防御措施效果进行量化评价。

目前不具备进行这类评价的基础。因此，ICPR委托进行了一项研究："鉴定洪水损失风险和评价旨在减少这些风险所采取措施的基础"。这项研究还将涉及默兹河、多瑙河和奥得河(Odra)等其他欧洲河流流域的洪水损失文献资料。焦点问题是"在何种条件下以及采取何种措施可能减少洪水损失风险以及减少程度有多大？"要开发有关研究方法，以便量化非水利工程防洪措施对损失风险减少目标的影响。研究尤其希望了解的是如何采取措施影响罕见大洪水对河堤后面保护区的残余风险。借助于过去的洪水事件及案例研究，对各种措施的效果进行核查和量化。其研究结果将编入建议实施的防洪措施目录中。

2.2.2 降低洪水位

莱茵河流域各国已经实施或开始实施旨在提高莱茵河沿岸及其流域滞水能力的措施。这些措施包括：重新确定河堤位置、沿河建立技术性滞水设施、复原河道、恢复以前的洪泛区（给水体留出更多空间）、促进粗放耕作、自然开发、植树造林、加强雨水下渗、在流域内建立小规模有效的技术性滞洪设施。旨在提高滞水能力的措施通常也改善了莱茵河水系的生态环境。特别是重新确定河堤位置、采取复原措施和促进粗放耕作具有这样的功效。类似措施鼓励地下水回灌。

评估数据列在本节最后的"2000年莱茵河防洪行动计划执行情况表"中。

由于在莱茵河沿岸及其流域采取了措施，已实现了大部分的2000年目标(即将上莱茵河蓄水河段下游水位降低5cm)。到2001年建成了4 200万 m^3 技术性滞洪区，沿河恢复了2.2 km^2 洪泛区，另外15 km^2 的洪泛区正在建设当中，整个流域还开展了其他许多滞水活动，这些措施将实现水位降低目标。同时，这些措施有助于强化莱茵河水系的生态功能。

因为没有监测系统能够统计地方上所采取的各种措施，所以不能评价有关雨水下渗所采取的"拆除土壤密封"这类措施的效果。

为了能够实现2005年极限洪水位降低30cm的宏伟目标，必须在各个层次大力提倡采取各种旨在降低洪水位的措施。这也包括改善上游预报部门和下游用户在滞洪区的使用和管理方面的协调。必须不断鼓励滞洪区的协调运行。

在上莱茵河采取滞洪措施几乎不会削减中莱茵河和下莱茵河的洪峰，因为该洪水起源于北部莱茵河流域（例如Mosel河）。荷兰就这些问题展开了讨论，于2000年12月确定了21世纪水管理的起点。其中特别关注河床扩展和滞洪措施。根据专家意见，Lobith站的最大流量定为18 000 m^3/s。

另外，将在2005年推出一种能够证明水位实际下降幅度的方法。这将可能评价上述措施的总体效果。

2.2.3　增强洪水意识

已经界定了莱茵河沿岸近100%的洪泛区和流域内约40%的洪泛区。已经采取了许多措施增强人们的洪水意识，并且必须继续实施这些措施，迫在眉睫。

2001年底，ICPR应绘制完成比例为1：100 000的洪水危险和风险图（涉及莱茵河流域低地内所有的洪泛区和易受洪泛区）。这些新图将1998年出版的莱茵河流域图与洪水损失风险相关的内容具体化了。从这张综合性图来看，2005年目标已经实现了。

然而，不可能依据ICPR绘制的这类综合性图对措施进行规划。只有在按区域划分或按城市划分的基础上绘制更加详细的图，才有可能规划措施，莱茵河沿岸国家中有些已经完成了这项工作，有些正在进行这项工作。今后必须对所有莱茵河支流和水文地理系统绘制类似的国家级、地区级和城市级的风险图。登录www.iksr.org网站可查寻下莱茵河 Cologne 地区的风险图。

风险图可以使洪水危险形象化。为了使人们相信防洪的必要性，莱茵河沿岸各国已经做了许多工作，例如召开研讨会和相关会议、举办与洪水有关的展览、开展地方讨论。各非政府组织积极支持当局开展旨在加强公众防洪和保护生态环境意识的工作。必须大力鼓励开展这些工作。

到2005年，应该绘制莱茵河及其最重要支流堤防后面的洪泛区和易受洪泛区的区域性洪水风险图。由市政当局把这些标准转变为明确的行动指南。风险图的目的是向有关责任部门和处于洪水风险地区的人们揭示洪水危险，并且鼓励个人负责制和修建防洪建筑。还要在各层次开展许多说服工作。

如果要采取相应对策，人们必须认识洪水危险。因此，开展这方面的公共关系工作是一项长久任务。

2.2.4　通过国际合作改进洪水信息公告系统、延长预报期（至2000年延长预报期50%）

及时洪水警报是防洪的一个重要组成部分。它可以使人们摆脱危险并且转移可以移动的物品，以避免大量损失。因此，发布洪水信息公告和洪水预报是减少损失的重要手段。

1995~2000年期间，实现延长预报期50%的目标，并保持预报的可靠程度。以前，对高莱茵河的预报期为12h，上莱茵河、中莱茵河和下莱茵河的预报期为24h，莱茵河三角洲（Lobith下游）的预报期为48h。如今，对高莱茵河的预报期为18h，上莱茵河、中莱茵河和下莱茵河的预报期为36h，莱茵河三角洲(Lobith下游)的预报期为72h。

因特网明显改善了公众获取所有警报中心的洪水信息公告和预报的渠道。人们可以通过电视查看莱茵河在瑞士、德国、荷兰河段的水位。为了确保公众更加快捷地获取标准化的莱茵河流域洪水信息公告和洪水预报，2001年初建成了与莱茵河沿岸各国责任机构相连的ICPR标准化网站（www.iksr.org）。

到2005年，有可能延长莱茵河三角洲的洪水预报期至4天，但这取决于模拟计算的发展情况和德国提供的气象数据。这项工作将在未来几年内开展。如果继续实施这些措施，就可以在2005年实现防洪行动计划所确定的改进莱茵河流域洪水预报的目标。

由于在莱茵河流域易受洪泛区内估计约有15 000亿欧元的巨额资产面临着洪水风险，因此实施莱茵河防洪行动计划是经济的必然要求。必须从融资和组织投资方面在各个层次（国际级、国家级、地区级、城市级）坚持不懈地努力实施这一防洪行动计划。

到2020年用于实施防洪行动计划的费用估计为123亿欧元，其中2000年的费用开支为19亿欧元左右(表6-4)。明细开支如下：

- 10%用于改善莱茵河沿岸的滞水设施；
- 约35%用于改善莱茵河流域的滞水设施；
- 约53%用于堤防加固和实施地方性防洪措施；
- 约2%用于防洪区域规划和预报。

3 非工程措施❶

3.1 前言

1998年1月22日，第12届莱茵河流域部长级会议决定开始实施防

---

❶ 本节译自保护莱茵河国际委员会《非工程洪泛区管理——措施与效果》报告(2002年)。作者：Dr.Thomas Egli，Egli Engineering, St.Gallen。

洪行动计划。该计划旨在保护人民生命财产免受洪水灾害，改善莱茵河

表 6-4　2000 年莱茵河防洪行动计划措施及执行情况调查

措 施 类 型	对目标实现的影响				措 施		费 用	
	Hz1	Hz2	Hz3	Hz4	目标	实际值	估计 (100 万欧元)	实际 (100 万欧元)
(1)莱茵河流域滞水措施								
• 恢复性措施（km）								
• 复原洪泛区(km²)	+	+	+	−	1 280	>1 010	129	}125
• 提倡粗放耕作(km²)	+	+	+	−	100	>100	250	
• 自然开发、植树造林	+	+	+	−	800	>950	135	>250
（km²）	+	+	+	−	450	>865	88	>120
• 鼓励雨水下渗(km²)								
• 技术性滞洪设施	+	+	+	−	90	>10	70	未知
(100 万 m³)	++	+	+	−	4	>2.6	50	>69
(2)莱茵河沿岸滞水措施								
• 复原洪泛区(km²)	++	+++	++		5	14.2	60	150
• 技术性滞洪设施	++	+++	++		33	10+32	136	9.7
(100 万 m³)						(2001 年)		
(3)技术性防洪措施								
• 维护和加固河堤(km)， 以达到防洪标准	++	−	+	−	730	730	662	868
(4)区域规划方面的防御 性措施						支流 >40%		
• 敏化	++	+	+++	−	50%	莱茵河	13	33.8
• 绘制洪水危险和风险图	+++	+	+++			100%		
(5)洪水预报								
• 延长预报期	+++	−	−	+++	50%	50%	4	
• 改进洪水警报系统	+++	−	−	+++				
合　计							1 900	>1 630

各类措施不仅发挥了防洪作用，而且也实现了其他政策领域的重要目标，如河道复原。

说明：＋表示较小效果，＋＋表示一般效果，＋＋＋表示很大效果，－表示无效果。

　　Hz1 → 降低损失风险；

　　Hz2 → 降低洪水位；

　　Hz3 → 加强洪水意识；

　　Hz4 → 改进洪水警报系统。

及其洪泛区的生态环境。

会议决定：至2020年，保护莱茵河国际委员会（ICPR）将在防洪行动计划和莱茵河可持续发展计划框架内，协调实现4项目标，即降低灾害风险、降低洪水位、增强洪水意识、改进洪水预报系统。

就如何增强公众洪水意识而言，ICPR草拟的一份报告基本列出了旨在降低各种洪水灾害风险的可能性措施。这一报告是根据荷兰、德国、法国和瑞士各国的研究成果写成的。所列措施不仅适用于莱茵河流域，而且适用于所有洪泛区。

这些措施的执行，部分由有关机构负责，部分由受影响的民众负责。就每一种情况而言，可根据风险种类及其发生的可能性来确定采取何种措施。如果必要的话，有关机构还应负责调查现存风险，研究其脆弱性。该报告不能代替对发生概率、洪水产生、地表水位、洪水历时、潜在损失或防御等各种参数的研究，这是因为报告中所列的许多措施是专门用于防洪设施水平较低地区的。然而，必须指出的是，只有加强公共防洪设施（如堤防）的适当维护，才能保障安全。

每次洪水事件都有其自身特点，而地方因素和人类各种活动的紧密结合则是减少洪灾的基础。因此，不可能预先确定某种措施的效果，但却可以勾勒出损失降低的数量等级及效果。所以，本报告的思路对任何相关情况都具有借鉴作用。随着社会的发展，我们要不断更新对洪灾的认识。

3.2 概述

本报告所介绍的只是通常可能的措施，以及根据各种减灾目标对这些措施进行的评估。还介绍了减少潜在洪水灾害的现有手段。然而，这并不能代替详细的脆弱性分析，也并不意味着不能采取其他防洪措施。

3.2.1 洪泛区非工程管理措施的先决条件

了解洪灾危险是采取非工程措施的先决条件，其中包括洪灾的可能性、洪灾影响的类别和程度等各种重要参数。而这种了解必须是充分考虑各种作用因素之后得出的。

洪水风险图标出了危险区域，是规划必需的图。图上的洪水标志可以提醒公众什么地区具有洪水风险。

为了时刻保持洪水意识，必须向公众提供相应教育和信息。应该根据潜在危险的程度来确定所采取措施的先后顺序和范围。如果没有潜在危险，则可以不采取措施。

3.2.2　预报

高质量的预报可以使高代价使用危险地区成为可能。即使在预警期很短的情况下，通过预报仍然可以尤为有效地保护生命。然而只有当这类预报与有计划的措施及相应的训练紧密结合时，才能充分发挥其效果。

3.2.3　保护生命

错误的指挥尤其可能导致生命和身体的损失。当洪灾发生时，必须使相关人员有可能迅速撤离到安全地带。因此，不断通报洪水危险和避洪的可能性，是不可或缺的手段。凭当今的技术手段，如果时间充裕，即便是在非常困难的情况下，也完全有可能展开救生工作。

3.2.4　控制土地利用

从长远来看，开展旨在保留相应开阔地的区域规划教育可以避免潜在洪水灾害的增加，为了减少或避免住宅区遭受洪水袭击，必须给河道留下足够空间。建立有关空间规划或总体开发规划的法规和区划法令，是让业主接受适宜建设方式的有效手段。为了保护人民的生命安全，为了防止破坏环境或伤害他人，则需要颁布这类法规、法令，因为它们具有长远影响。

3.2.5　防洪建设

如果基本上不改变住宅区的用途，那么适宜的防洪建设与各种临时的财产保护措施相结合，是减少住宅区遭受潜在破坏的惟一手段。

进行财产防洪设计，是为了减少或防止个人财产遭受损失。如果把面临危险的财产移到地势较高的地方，或者使用局部防洪墙，那么保护财产的效果可以达到100%；如果把建筑物密闭起来，其保护效果可以达到50%～70%；如果室内家具对于水的影响不敏感，其保护效果可以达到10%～30%。在洪水后的恢复期、大规模的调整或新建中，可以采取这类措施。

燃油温升是非常危险的。如果采取相应的保护措施，其对建筑物的破坏将下降50%～65%。

洪水对工业和商业建筑物的破坏大约是其对住宅破坏的两倍。对这类建筑物的密闭和保护是极为有效的，因为这两种措施都会有效地降低企业的损失。在洪水灾害中，企业遭受的间接损失可能要大于直接损失。如果洪水深度超过2m（含2m），保护财产的防洪措施就很难奏效了。

3.2.6 抗洪准备

制定适用于预警期的行动计划是正确指挥抗洪的前提。根据预警期长短的不同，适时转移室内财产可以使家具和设备减少损失20%~80%。预警期最短也应该达到4h。

在转移工商企业设备时，需要很好地协调和组织。惟有如此，才能有效地保护大型资产，缩短企业受困的周期，避免供给短缺。

3.2.7 应急计划

如果采取应急措施可以避免洪灾的话，其成本效益比肯定是非常诱人的。当发生特大洪水时，可以利用非常溢洪道疏导洪水，以降低潜在损失。因此，应急措施应该是洪灾控制计划的组成部分。

首先应该考虑个人财产风险防范，最后才应该考虑国家为个人经济状况保险。而国家应该在这二者之间建立相应的保险系统。保险将损失分摊到处于风险中的社区，所以它保留了独立的手段。适当的建议和保险将鼓励人们预防洪灾损失。但是保险费和预防措施的实施取决于保险系统的外围情况。

3.2.8 推动计划实施

信息和建议并不涉及任何法律问题。因此，依靠经验和说服教育（还没有这样做过）才能成功地实施计划。无论是本地区的还是邻近地区的成功经验，都是不可或缺的。另外，还可以通过适宜的保险津贴或补贴等经济激励手段达到实施计划的目的。

如果有人处于危险之中，或者环境或第三方有遭受损害的危险，则需要动用法规来强制实施计划。然而，没有足够资金支持的法规往往不起作用。

3.3 目标和方法

针对最大程度限制易受洪泛区的损失，进行措施效果研究可以综合评价将要采取的措施。只有根据当地客观条件采取措施，才能真正有效。如果预警期很短，在洪水来临时则不会有什么有效的办法。而如果洪水深度超过2m，能够采取的措施则很有限。如果利用个人经验，尤其在洪水频发并且地表水上升有限的地区，那么洪灾损失肯定会减少。因此，要求每个地区对所研究的措施进行评价，以证明其有效性。

到2005年，防洪行动计划将降低损失风险10%；而到2020年，防洪行动计划将降低损失风险25%。这一减少损失风险的量化标准是通过对区域开发规划、城市发展、财产防洪保护、应急计划、增加核心地区的保护、洪水预报、预警期以及通知相关人员等方面措施的效果进行量化评估后制定的。对上述措施的效果进行评估是研究所涉及的主要问题，其内容包括如下几个方面：

(1)方法。效果研究的关注方向：

- 分析相关自然土地、法律和社会经济条件的现状；
- 分析目前涉及洪泛区管理和区域开发计划的相关措施；
- 分析对生命财产造成损失风险的洪灾事件，并评估可能对其产生影响的各种因素；
- 通过实例分析、个体防洪措施研究或两者结合，阐明限制洪灾损失的可能性。

(2)处理。本总结性报告就限制洪灾损失的可能性列出了最重要的研究成果。它是以1999年至2001年的洪水报告为基础写成的，并且总结了荷兰、德国、法国、比利时和瑞士等国家的经验。

(3)分类。可以通过多种措施对洪灾损失施加影响。传统的防洪措施包括在流域内以及沿主河道采取各种措施，这样便可以降低洪水泛滥的可能性。另外，防洪准备包括采取适宜的应急计划来减少潜在的损失。

图6-7展示了洪灾损失产生的环节。本报告只限对那些旨在减少图中损失风险的措施进行研究。

3.4　要求

3.4.1　认识危险

人们往往难以认清所存在的洪水危险。而就有效防洪来讲，这一问题比技术性防洪手段更为重要。另外，由于人类运输技术的发展，洪泛区居民已经很少经历水体带来的危险，因此也就不知道如何应对洪水。

在易受洪泛区，即便有些人经历过洪水，但相关知识也并不是尽人皆知。包括历史洪水事件以及未来潜在洪水事件在内的洪水风险图可以起到传播防洪知识的作用。因此，应当依据洪水风险图来考虑和确定土地使用的控制、防洪建设以及防洪准备。就抗洪和灾害控制而言，在不同情况下和不同时段内应该进行不同的防洪宣传。在洪水泛滥期和预警期，应该关心并采取防护性建设措施。

ICPR洪水风险图（图6-8）说明了不同概率的洪水泛滥和非常罕见的洪水位。凭当今计算机的模拟水平，完全可以绘制出大型洪水风险图。

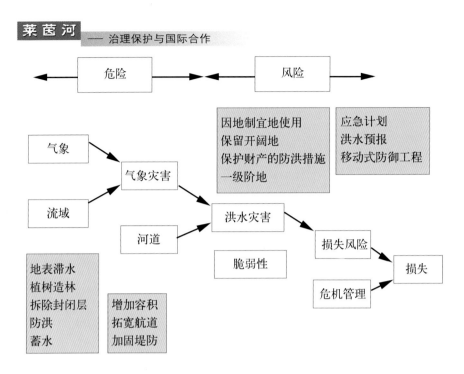

图6-7   洪灾损失产生的环节

过去,只可能根据明显的洪水痕迹或消退的洪水来对洪水危险进行评估。如今,可以通过计算程序来确定洪水表面的撞击力和洪水深。对局部而言,还可以确定某一地点、某一行洪时刻的洪水流速和方向。模拟计算显示了每次洪水泛滥都有其自身的发展规律,可以用历史洪水记录验证它。

危险评估可以确定洪水的潜在风险。洪水风险图可以在区域上标明这种危险的位置,使所有相关人员了解到各种情况,同时也是制定区域发展计划措施的依据。

3.4.2 危险意识

危险意识顾名思义就是认识和了解洪水的危险,时刻保持对洪水的警惕,并在采取行动时适当考虑洪水危险。

洪灾刚刚发生之后,人们往往能够高度意识到洪水的危险。然而,没有洪灾发生的时候,人们对潜在危险的意识就会降低。因此,定期通告洪水情况,可以使公众时刻保持洪水危险意识(图6-9)。

公众必须认识到洪水泛滥是他们生存环境的一部分。当地居民必须意识到他们正处于危险之中。如果他们没有经历过洪水泛滥,则应该借助洪水风险图让他们了解相关情况。当地建筑物上的洪水痕迹有助于让

ICPR 风险图说明

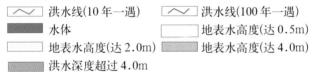

洪水线(10 年一遇)		洪水线(100 年一遇)	
水体		地表水高度(达 0.5m)	
地表水高度(达 2.0m)		地表水高度(达 4.0m)	
洪水深度超过 4.0m			

图 6-8　ICPR 洪水风险图

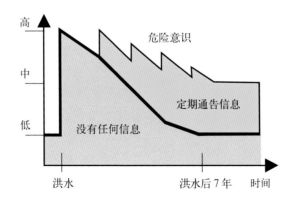

图 6-9　风险意识与信息获取的关系

他们了解洪水的危险性。如果没有洪水危险意识，那么采取任何鼓励措施都不会产生太大作用。

在巴塞尔，负责民防的保险公司和机构曾向生活在危险地区的居民提供油罐的免费保护。但开始的时候，几乎没人接受这一做法。而在1986年和1987年洪灾之后，瑞士 Boll 村的居民则主动要求建立移动式防洪墙，这些防洪设施至今完好无损，并在 2001 年继续使用。另外，让受到堤防保护的居民时刻保持洪水意识尤其难。

长期以来，人们只记得像1953年发生在荷兰的这类特大洪水。使用移动式防洪墙来部分代替河堤（如科隆就使用了移动式防洪墙），至少可以使人们时刻保持洪水意识。

如果不说明洪水风险的话，那么在洪水事件发生不足 7 年之后，人们的洪水意识就会下降到最低程度。处于风险之中的人们就会毫无准备，并且在洪水再次来临之际惊慌失措。

个人的洪水经历可以提高危险意识。对于没有洪水经历的人或洪水过去很久的人来讲，必须通过洪水痕迹、洪水标记或定期通告来提醒他们洪水危险的存在。

3.5 危险种类

3.5.1 危险种类

静态洪水：其特点是流速较低（低于 1m/s）。这种洪水的影响往往来自于洪水位抬高致使静水压力增加所产生的结果。

动态洪水：其特点是流速中等或偏高（高于 1m/s）。这种洪水的影响往往来自于流水的静态和动态力量。

河岸侵蚀是由水流改道或地面滑坡造成的。由于侵蚀会削弱河岸的稳定性，因此在水流的直接冲击下，很有可能出现河岸塌陷，从而对建筑物构成威胁。

地下水位上升所导致的静态洪水，也可能对建筑物构成威胁。当发生洪水时，即使河岸没有塌陷，也会造成地下水位上升。

3.5.2 影响参数

洪水深度决定着地面以上的纵向影响范围。通常情况下，洪水深度会持续增长，在洪峰期间或洪峰刚过之后，达到最大水深。如果洪水事件是由山间洪波发展而成的，在溃堤或洪波出现的情况下，最大洪水深度往往出现在洪水来临之际。

洪水历时从产流开始到恢复正常水位结束。在上莱茵河沿岸，洪水历时在几小时至几天之间。而在莱茵河三角洲，一次洪水过程往往要延续几个星期。

在地势较陡的地区(5%～10%)，如果洪水深度超过0.5m，流速则达到3～5m/s。而当洪水沿渠化河段(街道)行进时，其流速也达3～5m/s。在地势较缓的地区（小于2%），流速一般会降至2m/s以下。在出现溃堤的情况下，接近溃堤处的流速很高。

洪水上涨速度指在一次洪水过程中洪水上涨的快慢。这一参数决定着对室内外人员造成威胁的大小。因残骸瓦砾的堆积阻塞河道或溃堤引起的洪水泛滥尤其可能使洪水高速上涨。

为了能够采取措施，必须了解洪水威胁的类别及其量化影响。

3.6　生命危险

当洪水发生时，洪水冲击的强度、受灾者所处的位置以及受灾者自身的行为，都是对生命造成威胁的因素。

3.6.1　洪水冲击的影响

洪水位上升得越快，留给人们寻找安全避难场所的时间就越少。首先，随着洪水位的升高，能够供人安全避难的地方就会相对减少。其次，洪水流速的增加又会使人们愈加难于穿越已经被淹没的地区，甚至无法逾越这一地区。而水流对建筑物基础的压力和冲刷又可能导致建筑物坍塌。

诸如1953年发生在荷兰（死亡1 800人）和1962年发生在汉堡（死亡315人）的特大洪灾，都是由于洪水淹没范围大、洪水过深造成的。当时，房屋不是完全被大水淹没，就是毁于大水之中，受灾者几乎找不到安全的避难场所。

在瑞士，不曾发生过淹没范围大、洪水位高的洪水，但同样出现过生命财产损失（例如，2000年10月发生的洪水造成15人死亡）。究其原因，是洪水巨大动力的冲击使许多建筑物毁于一旦，从而无法找到安全的避难场所。

3.6.2　暴露条件的影响

露天的受灾者往往会直接面对洪水的冲击，而得不到任何保护。黑暗和寒冷可能会使他们失去方向感、不能长时间浮在水面上。缺乏洪水经验的人，往往会低估洪水流速形成的冲击力。

住在帐篷里的受灾者也像露天的受灾者一样,几乎得不到什么保护。而更糟糕的是，住在帐篷、大篷车或其他类似场所的人往往意识不到危险的存在，如果洪水发生在夜晚，他们可能会更加惊慌失措。

呆在汽车里的人则有可能死亡，这是因为人们往往会低估洪水的浮力。实际上，50cm 深的洪水就已经有可能把汽车移走了。

建筑物如果高于最大水深并且基础牢固，则不失为安全避难场所。然而，处于建筑物底层（如地下车库、储藏室和拍卖场等）的人往往意识不到流进建筑物内的洪水阻塞了向上层逃生的通道所带来的危险。

1999 年 11 月发生在法国南部的一次大洪水曾造成 24 人死亡，其中有 10 人死在汽车里，9 人死在建筑物中，还有 3 人是步行者。值得一提的是，死在建筑物里的 9 人中，有 8 名遇难者是老年人。

当建筑物不再具有保护作用、露天或汽车内的人遇到洪水惊慌失措、人们错误判断洪水危险的时候，或者由于受灾者自身的脆弱，就会出现生命危险。

3.7　保护生命

3.7.1　自我保护

在洪水即将来临之际，认识到存在的危险并采取适当的行动，是最好的自我保护措施。

当洪水即将发生和已经发生时，处于建筑物里的人应该避免以下几点：

- 老年人或残疾人处在最大洪水深以下的楼层里；
- 使用不可能逃到更高层的房间；
- 使用地下室或地下车库；
- 使用电梯。

露天的人们应该避免以下几点：

- 洪水期间滞留在桥上或堤防上；
- 宿营在泄洪的必经之路上；
- 在洪水淹没的公路上开车；
- 洪水旅游。

1972～2001 年，瑞士的洪水记录表明共有 67 人遇难，其中 40% 的死亡者是因为采取了错误行动而遇难的。

3.7.2　救助

洪水来临之前就应该开始有效的救助行动，并在洪水到来之际完成这一行动。在洪水暴发的源区，预警期非常短暂，致使部分救助行动在洪水暴发后才刚刚开始，因此很难确定其效果。

在荷兰，曾撤离20万人，这表明了：

- 只有当各地方决策机构和媒体发出清楚的、协调一致的撤离信息时，当地居民才会相信需要撤离；
- 必须在洪水来临之前的恰当时刻开始救助准备，因此地方组织工作很重要；
- 很难说服有些人离开家园；
- 必须撤离所有人，还必须明确已经采取了避免财物被盗、被毁的保护措施；
- 许多人有自己的避难场所或自己的组织；
- 绝大多数需要救助的是残疾人、孩子和确实需要帮助的人；
- 返回家园几乎不需要任何特别的组织。

如果预警期很短，则必须为处于危险的居民就近寻找避难场所。他们必须能够根据相关信息，自行到达这些避难场所。在预警期较长的情况下，可以为大范围的人员和家畜撤离做好准备。

3.8　损失评估

3.8.1　用途类型

随着洪水的不断上涨，物资易受损失程度按下列顺序上升：农业、住宅、商业、工业。对不同用途而言，洪水所带来的，既有直接损失，也有间接损失。

3.8.2　直接损失

直接损失是由洪水直接影响和洪水携带物影响所造成的损失。潮湿和污垢不仅会使建筑物（地板、墙壁、天花板）部分或全部受损，还会使建筑物内部的设备和物品受损。个别情况下，甚至影响到建筑物的静止状态。另外，洪水历时延长还会导致潮湿的蔓延。在洪水历时较长的情况下，必须特别考虑这一点。燃油或粪便污染的水所携带的异味物质可能会使建筑物全面受损。固体颗粒渗入电气或机械设备往往会造成故障，即使花钱修理往往也难以将这些颗粒完全清除。计算机和计算机控制的设备一旦遇到这种情况则尤为危险。

3.8.3　间接损失

间接经济损失包括生意和基础设施(供给和清洁)中断、暂时安置费用以及市场受损等。尤其应该指出的是，工商企业所遭受的间接损失往往大于直接损失。

针对不同的用途，直接损失和间接损失分类见表6-5。

表6-5　直接损失和间接损失分类

分　类	直接损失	间接损失
手工业、商业、工业	物资、工具和库存损失； 家具和文件损失	清除污垢费用； 搬家费用； 资源开发损失
农场	附属建筑损坏； 物资、工具和库存损失； 牲畜和收成损失	资源开发损失； 生产损失
个人住房	房地产损坏； 家具和资产损失	重新建房费用； 清除污垢费用
公共服务机构和网络	房地产损坏； 设备损失	清除污垢费用； 组建援救及替代性服务机构费用
文化遗产和环境	文化遗产损坏	修复工程费用
地方经济		经济、未来收入以及房地产价值下降

洪水损失有时是由自然洪水和人类开发利用之间的矛盾引起的。随着人类社会的发展，洪水损失的类型和程度都在不断发生变化。

3.9　损失确定

3.9.1　潜在损失

潜在损失是处于风险中的资产可能出现的全部损失。潜在损失既不同于洪水事件带来的真正损失，也不同于采取措施后受到的损失。

3.9.2　损失函数

损失函数表示洪水强度与洪水损失之间的关系。各国应用的损失函数有所不同，其系数差异大概为2~5。

3.9.3　成本/效益比

根据现场财产分析和详细的洪水风险图，可以确定防御措施合理的成本/效益比。

3.9.4　确定现有潜在损失

为了评估是否需要采取措施以及措施效果，必须确定潜在损失。

• 确定大范围潜在损失

首先确定单位面积的各类用途或建筑物平均价值以及根据洪水深度得出的受损程度（损失函数），然后总结出处于风险的面积。可根据大比例潜在损失地图来确定在大范围地区采取何种行动。

• 确定小范围潜在损失

小范围潜在损失是通过损失函数和对建筑物的现场分析来确定的。其优点是：可以了解到水位多高便会造成损失，评估建筑物真正受到的损坏。小范围潜在损失的确定有助于制定详细计划，尤其是就防御性建设措施制定详细计划。

保险公司不断报道洪灾损失总量呈上升趋势（图6-10）。这是由于价值不断增长、建筑物越来越密集造成的。另外，承受风险的能力下降也增加了损失，因为人们越来越依赖于不断增强的防洪安全措施，而不是根据现有的风险因地制宜地建设房屋和使用土地。

在本报告中，限制损失的效率通常是以没有任何防御措施为起始参照的。对于长远措施，例如保持地表畅通，要对其效果进行定量描述。必要的话，可以依据相应的影响因素来表示措施效果。

3.10　土地利用控制

3.10.1　保持风险地区的空旷状态

旨在限制潜在危险的最有效措施莫过于避免土地开发。如果洪水风险区内的建筑面积不断增加，即使因地制宜地进行建筑，洪水损失程度也将继续上升。保持洪水风险地区空旷状态不仅是为了避免损失，而

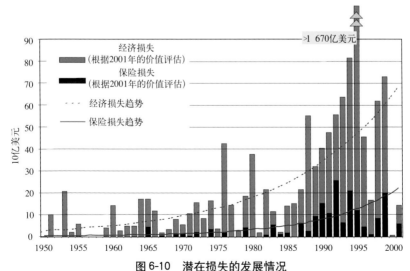

图6-10　潜在损失的发展情况

（1950～2001年发生的较大自然灾害）

且还出于以下两个目的：

- 蓄洪；

- 行洪。

就此而言，德累斯顿市（Dresden）采取在洪泛区为易北河行洪留出足够空间这一策略的例子给人们留下了深刻的印象。然而，由于整个欧洲人口稠密，近年来已经很少重新安置沿河地区的居民。

继1993年密西西比河发生大洪水后，州政府通过发放补贴的办法迁移了当地居民。

保持洪水风险地区的空旷状态并不意味着不使用这类地区。根据洪水发生频率的不同，可以将这类地区用于农业和娱乐。当发生洪灾时，潜在损失较小的洪泛区可以用来行洪和短期蓄洪。

保持地区空旷状态可以避免洪泛区的进一步开发。因此，也不会进一步增加潜在损失。在最有可能发生洪水的地区，措施的效果最重要。

3.10.2 建筑法规和区划法令

建筑法规和区划法令是用来规范建设行为的，即要求根据现有风险来制定建设计划。其目的是尽量减少对第三方和环境的损害，并在洪水来临之际使损失程度降至最低。

可根据需要保护的建筑物所面临危险的程度来确定法规的适用范围。相关机构可以根据危险的级别和频繁程度以及保护建筑物的需要，制定较为严格或较为宽松的法规。

在各国，下列危险级别被证明有助于制定相应法规：

- 较低危险：使用需要常规保护的建筑物，没有任何限制。但是，应指出有限的危险，并建议采取保护措施。对于需要进一步保护的建筑物，必须采取财产保护措施。

- 一般危险：必须对新建和翻修建筑物采取所需的财产保护措施。

- 较高危险：禁止进一步开发。可以对现有建筑物进行维修，以适应当前需要。相关机构有权要求业主采取必要的防洪措施。

这样新建或翻修建筑物能够适应现有的洪水危险。损失增加只是洪泛区增加开发的结果。假设每隔30年至50年重建或翻修建筑物，接着采取防洪措施，那么每座建筑物损失可以减少25%～50%。即使在发达地区，潜在损失也会每年递减1%～2%。

3.11　防洪建设

3.11.1　住宅湿法防洪

如果没有采取防洪措施，那么洪水给住宅区带来的损失大概与设备和建筑物损失相等。就设备损失而言，家具和固定装置的损失占40%，门和电气设备的损失占20%。就建筑物损失而言，墙壁、天花板及镶板的损失占36%，地板和供暖系统的损失各占27%，剩余的10%是窗户和电气装置的损失。

为减少损失而采取的建筑物防洪保护措施，通常涉及到建筑物的使用得当、装备适宜或者对建筑物进行密封、加固和屏蔽。

(1)使用得当。在现有建筑中，避免使用低于洪水高度的房间可以减少损失。修建新建筑物时，如果考虑到洪水风险，便可以把洪水带来的损失减少到最低限度。可以采取下列措施：

- 放弃使用地下室或底层，总平均损失可以降低3 000～6 000欧元；
- 选择防水油罐或天然气供热设备来代替普通燃油供热设备可以减少损失50%以上；
- 把电器总开关和配电器安装在洪水高度以上的地方，即使在洪水泛滥期间，楼上也能用电。

(2)装备适宜。如果有可能，建筑物采用厌水或防水材料是最为理想的，那么洪水过后的清洁和干燥费用只有1 500～3 000欧元。然而，在冬天，老房屋的干燥费用可能要增加3～5倍。

根据洪水危险适宜地使用房间，可以减少潜在损失30%～40%。如果建筑物及其设施采用防水物资，可以减少潜在损失15%～35%。

3.11.2　住宅密封保护

对建筑物完全密封可以使室内物品免遭洪水影响。损失只局限于外墙的肮脏和潮湿。

3.11.2.1　已有建筑物

如果建筑物外墙和地下室是防水的，则只需对建筑物的出口加以密封。在这种情况下，可以安装防水门窗。在预警期较长的情况下，可以采用可移动式止水桩和应急措施（沙袋、金属薄板等）防水。如果建筑物外墙不防水，则可使用止水桩或金属薄板对其密封。对建筑物不防水的地下室进行永久密封需要相当大的费用和人力，因为不能覆盖整个建筑物。如果不密封地下室，可以不停地抽取少量的渗水，这样只要烘干和清洁湿墙和湿地面。如果地下室无法承受水的浮力，则必须部分或全部注入清水，以保证其稳定性。在任何情况下，必须重视浮力和污水回压造成的危险。

3.11.2.2 新建筑物

可以对新建筑物进行箱式防水处理。既可以采用水泥板箱式防水处理，也可以采用水泥包皮箱式防水处理。

防水地下室可以减少总损失75%～85%。如果地下室必须被淹，则可以减少总损失10%～40%。如果抽取渗水并且只考虑地下室的话，那么可以减少总损失50%～60%；如果还考虑建筑物第一层的话，那么可以减少总损失60%～70%。在洪水较深的地区，密封措施的适用范围有限。

3.11.3 住宅屏蔽保护

只要洪水深度得到控制，就可以成功地对建筑物进行屏蔽，这是把损失降至最低的房屋保护措施。

3.11.3.1 屏蔽

使用屏蔽方法，可以阻止洪水蔓延并削弱其强度，使其无法进入建筑物。但是，屏蔽保护不能增加相邻财产的风险。

3.11.3.2 抬升

采取抬升办法可以有效地保护新建筑，而且成本较低。可以考虑以下几种方案：

- 悬空建房：便于创造性的发展，并且在建筑物下留出的空间作停车场；
- 墙上建房：拓展建筑物的用途；
- 坝上建房：如果在斜坡附近建房，成本则很低，如果地下水位高，这种建房方式则更加有意义。

3.11.3.3 永久性或移动式防洪墙

修筑防洪堤或防洪墙是一种永久性措施。其通道可以为斜坡或防水闸门。在预警期较长的情况下，可以使用止水桩和沙袋等构成临时防洪墙。

在采用防洪墙进行屏蔽的情况下，地下水抬升可能会造成损失。因此，应该采取特别措施来应对地下水抬升的危险。

对所有洪水事件而言，在使用拦洪坝和防洪墙时，应该充分考虑污水从排污系统回灌、回渗流和地下水浮力造成的危险。

采用屏蔽方法可以减少损失60%～80%。剩余损失取决于地下室的潜在损失。如果对地下室进行密封，几乎可以100%避免损失。这种措施仅适用于水位较高的极其有限的危险地区。

3.11.4　工商业财产的防洪保护

3.11.4.1　工业区内建筑物的防洪保护

通常情况下，洪水对企业业务及办公家具和设备的破坏所造成的损失往往要超过对建筑物破坏所造成的损失。采取预防措施对减少办公家具和设备的损失尤为明显（图6-11）。在Braubach（准备洪水到来），洪水对建筑物的损失与Kraiburg（毫无准备）的情况相当，但是，洪水对办公家具和设备的损失则远远低于Kraiburg的情况。

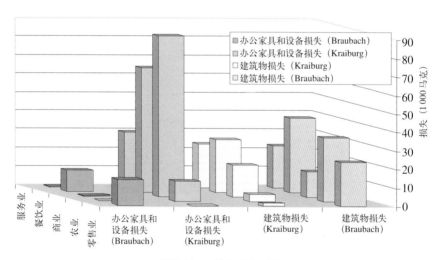

图6-11　财产损失对比

但是，工商企业受损的程度大不相同，即使建筑物损失也不相同。相对而言，餐饮业遭受的损失巨大，令人吃惊。

由于部门和行业不同，因此相关工商企业采取的防洪保护措施也非常不同。当然，采取有效的防御措施可能会减少企业的损失，但有时几乎无法避免损失。因此，在有些情况下，暂时转移生产和物资是应该采取的一项理想措施。

3.11.4.2　Vallendar 油站的保护措施

在当地，1993年和1995年分别发生了两场洪水。1993年，该油站

的洪水深度在两个星期内达到了1.3m。随后,经营者对油站进行了防水改造:

- 使用移动式防水板来保护营业部;
- 削减供油线路泄油点的数量;
- 在油罐外加装隔水层;
- 使用易于清洁的阻水建筑材料;
- 安装室外抽水泵;
- 把供热系统安装在位置较高的地方。

由于采取了这些措施,1995年洪水造成的损失比1993年减少了80%。

所以,工商企业采取防洪建筑措施可以减少损失25%~100%。可以根据建筑物、设备及办公家具所面临的不同洪水危险程度,选择采取相应的措施。

3.11.5 危险物品

对环境而言,安全存放石油和有毒物质就减少了一半损失,避免了对环境的危害。

3.11.5.1 住宅:供暖燃油泄漏造成的损失

如果水涝时间延长,供暖燃油泄漏就会使损失程度增加2~3倍。

1999年凯尔海姆(Kelheim)发生洪水期间的经验教训:

建筑物所遭受的损失中,有70%是燃油泄漏引起的。针对燃油泄漏引起的损失,尤其必须采取如下措施进行弥补:

- 修复天花板、裂口、瓷砖、油漆和石膏板;
- 更换墙体(如砖木墙体)。

泄漏的燃油之所以会增加损失程度,是因为漂浮在水面的燃油会吸附在建筑物上,因此在洪水过后,需要进行大量的补救工作。

3.11.5.2 凯尔海姆的损失统计

在洪水期间,凯尔海姆因燃油泄漏造成的损失是前所未有的。之所以出现这样大的损失,主要是因为该地区的居民受堤防保护,缺乏应对长期高水位洪水的经验。在洪水历时较短的情况下,渗入建筑物的燃油较少,并且在绝大多数情况下很少关注建筑物本身,因此在许多损失统计中没有把燃油对建筑物造成的损失计算在内。

3.11.5.3 工商企业

一般来讲,首先必须确定所贮存的货物是否有毒、易燃、易爆。在洪水泛滥期间，不仅工商业区，而且住宅区（燃油、污水）和农业区（农药、化肥）都会释放对环境有害的物质。从危险品对水产生污染这个角度看，采取防御措施不仅是出于经济原因，更是为了保护环境。最好的预防措施是：不要在洪水风险区贮存危险物品，或抬高贮存地。

在洪泛区之外贮存危险物品，可以100%降低受损程度。抬高贮存地或者对仓库实施防洪保护措施，可以降低损失50%～75%。

3.12　防洪准备

3.12.1　准备

3.12.1.1　信息／教育

信息是防洪准备的基础：

- 在洪水发生前，及早发布针对性信息并进行相关教育，可以提高人们防洪和降低损失的意识。因此，必须定期传授这方面的知识。
- 当洪水上涨之际，洪水预警和预报应该给人们留出足够时间来选择采取相应的御洪措施。在考虑采取何种御洪措施的时候，预警期的长短至关重要。预警期长短不一：山区可能只有几分钟，而在莱茵河三角洲则有好几天。

3.12.1.2　什么人需要何种信息

- 机构：机构需要获取洪水风险、目前情况、警报和应急计划等方面的信息，以便协调各技术部门之间的行动。
- 受灾群众：所发布的信息必须说明潜在危险。必须让相关人员了解危险情况和预警期的时限。必须让相关人员知道应该采取何种措施来减少洪水对建筑物、家具和设备的损失。必须公布获取有关详细资料和信息的地址。必须让面临危险的人员了解警报的类别，并根据各自情况建议采取相应措施。
- 民事保护和灾害控制（应急服务部门）：应急服务部门必须了解危险的区域分布以及所有必要措施。必须在灾害控制计划内明确这些措施。

3.12.1.3　准备

应急服务部门的代理人和个人应规划防洪准备。应该按顺序列出个人应急计划中防御性应急措施以及应急服务部门和工作人员的地址和电话号码。

信息、教育和准备是防洪准备的前提。其影响包括提高相关人员的危险意识，让他们了解自己能采取的行动。这是减少损失的惟一手段。

3.12.2 预报和警报

及时、可靠的洪水警报和预报是有效防洪准备的基础。由于在流域中所处位置不同，警报期和预报期差异很大，如山区洪水的预警期只有几分钟，而莱茵河三角洲的预警期有几天。如果给出的预警期为4h，则只能清空房屋。在莱茵河三角洲，如果要完全撤出成千上万的民众，预警期最少不能低于72h。

在莱茵河流域，地区的洪水信息发布部门负责向全区发布最新的洪水信息。就气象预报而言，流域面积越小，则洪水预报越可靠。在过去几年中，现有的洪水预报系统为减少洪水损失作出了很大贡献。信息和预报质量也在不断提高。

错误警报往往会使人们失去信任。警报必须清楚，否则所有防洪准备措施无法奏效。

1995年1月，在查尔维尔（Charlesville）地区，默兹河发生了洪水，超过了1993年的洪水记录（高出52cm）。构筑的防洪墙出现了漫溢，遭受的损失几乎比1993年高出一倍。原则上讲，对洪峰的预报是准确的，但洪峰到达时间比预测的要晚，致使人们不再相信警报。一方面，是预报经验不足造成的；另一方面，是警报期间的实测结果（不变的水位）与预报（急剧上涨的水位）不符造成的。

1995年荷兰发生大洪水，境内的河堤没有出现可怕的漫堤。专家们担心在这种情况下如果再次采取撤离措施的话，很难让人们离开。然而，从新的民意测验来看，过去几年发生的洪水已经增强了人们的洪水意识。因此，他们能够理解这类防御措施。

可以通过广告牌、地方广播电台、装在汽车上的高音喇叭、巡逻车、自动信息系统、警报器、因特网以及免费电话等发布警报。可以通过www.iksr.org网址查询莱茵河流域的洪水警报和预报。

洪水警报像信息和准备一样，也是洪水准备的前提。警报越精确可靠，应急措施所取得的效果就越好。

3.12.3 住宅应急措施

在没有预警的情况下，面临洪水危险的民众所采取的最简单、最明确的措施就是转移可移动的设备。根据预警期的长短，这类措施可分为以下几种：

- 简单转移：小物件；
- 大规模转移：大物件；
- 完全转移：转移安装好的家具。

在任何情况下，洪水来临之前，必须停止转移地下室物件和保护财产活动。

除了预警，防洪准备和可以利用的安全房间都是减少损失的有效措施。在洪水较浅的情况下，往往有足够的空间让物品移至较高位置。

1999 年，Kelheim 即将发生洪水时，曾建议尽可能将物品移至较高处。但是在洪水较严重的地方，高处也被淹没了，人们对这一建议很不满。后来的事实也证明了该建议无效。普遍认为预警期的长短至关重要。

就如何减少家具损失而言，荷兰境内的默兹河发生洪水时的情景给人们留下了深刻印象。1995 年发生洪水时，家具损失比 1993 年减少了 80%，其原因很简单，那就是适宜地转移了物品。而在这两次洪水事件中，洪水深度和预警期都差不多。

表 6-6 是罗登基兴（Rodenkirchen，科隆地区）在 1993 年和 1995 年洪水事件中家庭损失的比较。

表6-6　　罗登基兴洪水事件家庭损失比较

家　庭	每户平均损失		每户减少损失
	1993 年	1995 年	
所有	20 500 欧元	6 100 欧元	14 400 欧元
没有洪灾经验	27 600 欧元	8 100 欧元	20 000 欧元
具有近期洪灾经验	2 500 欧元	1 900 欧元	600 欧元

洪水事件之后，必须把可维修的物品与完全损坏的物品分开。应该更加关注经过适当清洁就可以继续使用的物品。

尽管采取预防措施需要费用，但由于转移或抬升了家具和设备，损失可以减少 20%～50%。采取这类措施的前提是建筑物防水、有足够的预警期来确保家具的转移。

3.12.4　工商企业的应急措施

由于工商企业类型和规模各不相同，所以采取的防洪准备措施也有所不同。应该根据物品类别、需要保护的物品数量以及现有工作人员的数量，确定采取何种措施。防止危险品对水产生污染十分重要。

3.12.4.1 位于莱沃库森（Leverkusen）的 Bayer AG 公司所采取的防洪保护
措施

根据莱茵河最后一次大洪水造成的损失，州政府重新确定了防洪保
护目标。这极大地鼓舞了 Bayer AG 公司，该公司花费 400 万欧元，修
建了固定式和移动式防洪墙以及排洪泵站，从而把防洪标准提高到 200
年一遇。由于场所的自然抬高，当发生 200 年一遇的洪水时，即使没有
防洪墙，也只有直接靠近河岸的部分地方被淹。然而，洪水还可能渗入
排污系统，并阻止污水下泄。该公司这样做的主要动机是避免生产中断
和保护环境。在他们那里，防洪已经成为负责报警和危险控制的特别机
动队的一部分工作。根据不同的水位，已经在公司的"报警和危险控制
计划"中确定了采取不同的防洪方案。另外，还根据短期的涨水情况加
高防洪墙。Bayer AG 公司还定期对员工进行相应的训练。

3.12.4.2 在 1999 年大洪水期间，瑞士 Niederurnen 地区的水泥石棉厂采取
的行动

由于及时制定了应急计划，因此 Niederurnen 地区的水泥石棉厂避
免了数百万资产损失和长期停产。他们根据详细的厂区地形图制定了应
急措施计划，采取了下列行动：

- 组建一支训练有素的防洪队；
- 建立一支高效装沙袋的队伍；
- 就应急动力供给进行全面调查；
- 检查并翻新具有漂浮危险的油罐设备；
- 水文测站安装警报装置；
- 根据不同洪水位，草拟应急计划，以便确定需要采取的行动。

洪水发生后，工厂管理层为表彰员工和防洪队所作出的巨大努力，
向他们发放了奖金。另外，保险公司自愿付给了工厂 10 000 欧元，以表
达对他们防洪措施的赞赏。

在大型企业中，洪水损失往往达到数百万欧元。从另一个角度来看，
防洪准备和训练费用只相当于财产损失的千分之几。当然，不可能对这
类措施作总体精确评价，并且高水位洪水会限制这类措施的效果。

3.13　应急计划

3.13.1　抗洪和灾害控制

为了能够应对洪水紧急情况，组建一个高效的应急机构至关重要。

一般而言，这样一个机构应该包括管理、信息和报警、安全和命令、抗洪、撤离和营救、保护、照顾、医疗卫生以及技术等部门。

3.13.1.1　1997年奥得河（Odra）抗洪经验

在奥得河沿岸，抗洪避免了6.8万 hm² 农田和2.6万居民遭受洪灾。这相当于避免了3亿欧元的损失。然而，这次抗洪费用约合2.92亿欧元。抗洪费用包括重型卡车对堤防和公路造成的损坏。在洪泛区内，洪水泛滥造成的损失达到1 200万欧元。

3.13.1.2　实例

Warcq 市（法国）的警告、警报计划见表6-7。

表6-7　Warcq 市的警告、警报计划

阶　段	警　告	警　报	撤　离
水位(m)	3.00	3.00～4.50	4.50～6.30（1995年）
指令和规定	可移动：船舶、交通工具等； 应急住所； 指派专人负责岛屿； 清理停车场	危机管理队（每天）； 撤离； 装有高音喇叭的车辆； 抗洪和营救指挥所	停止交通； 消防队和军队戒严城市； 撤离(当洪水位达到6.30m时，撤离完毕)

3.13.1.3　1995年默兹河抗洪经验

150个消防队进行了6 700次干预行动，其中包括：预防性撤离和对面临危险人员的救助(42%)；保护私有财产和采取预防性措施(30%)；从房屋及其附属建筑中向外排水(13%)以及其他干预行动（15%）。2 500名来自警察和公共服务部门的人员进行了抗洪，其主要任务是管理交通、维护公共基础设施。

可以对应急计划的效果进行定性评估。撤离和营救服务可以防止伤亡。抗洪有可能降低损失。从损失程度这个角度来看，不可能完全量化防洪措施效果。对于洪水很深的地区来说，这类危险防御措施极其重要。

3.13.2　非常溢洪道

3.13.2.1　非常溢洪道

非常溢洪道的作用：如果洪水位超过了设计水位，则让洪水漫过河岸进入潜在损失较小的地区，而不使其进入无法控制洪水危险的地区。采取这一措施的目的在于避免发生伤亡、限制损失。有控制地把水导入

非常溢洪道，可以降低下游水位，并保证那些地区的安全。因此，使用非常溢洪道是灾害控制计划的一部分。

3.13.2.2 第二条防洪线

当原来的防洪措施失败后，现有的公路、旧堤、渠道等纵向结构都可以用做防洪设施，以保护特别易受损失的地区。

3.13.2.3 实例

在荷兰，广阔的圩田被划分为许多小块。这样，如果出现溃堤，就可以避免整个地区被淹。就这一实例而言，损失减少了25％。由此看来，以少量损失换取局部地区的高水位洪水淹没还是划算的（图6-12）。

圩田没有划成小块

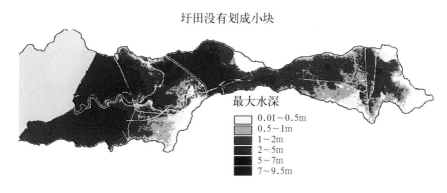

圩田划成小块

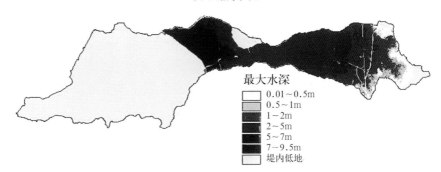

图6-12　圩田受淹情况比较

在区域规划的划定范围内，使用非常溢洪道并不会限制这一区域的使用。重要的是要维持该区域的正常防洪级别和遵守有关法律规定。加强防洪安全措施有利于下游土地的使用，具有很重要的意义。

使用非常溢洪道，旨在避免无法预测和无法控制的损失。如果重点保护区和一般保护区之间的潜在损失差异非常大，使用非常溢洪道则可以取得相当大的效果。但究竟效果有多大，通常无法量化。

3.13.3　财政准备

保险公司把损失分配给较大的社区，所以个人有能力承担洪灾带来的损失。为了避免不正当的风险转移，保险公司可以要求投保人采取措施减少潜在损失。根据保险条款，投保方必须在洪水来临之际尽量减少损失。一般来说，保险合同通常列有风险成本分担的条款，以此来鼓励投保人积极采取措施减少损失。

3.13.3.1　个人或公共预防

个人预防基本上是通过个人储蓄来应付糟糕时刻的来临。可以签署一份由国家协调的保险合同，如强制保险是个人预防的形式之一。如果没有推出保险业务（如荷兰），或者出于各种原因无法办理保险合同，则必须由捐助社团或国家出钱来维持灾民的生活。在这种情况下，必须给予所有求助者相同的待遇。如果有办理保险的可能，但却没有实施，申请资助或国家救助金的人则必然不愿意成为投保方。这将对保险业造成损害。

3.13.3.2　保险

涉及因罕见事件引起的不可预见损失的保险，通常需要风险共同体的成员共同分担损失。因此，为了能够建立这项保险业务，必须通过一个尽可能大的组织来加以很好的平衡，共同承担风险。如果参加保险时没有这项义务，那么一旦罕见洪水来临，处于风险中的人们就会宣布放弃保险。较好的平衡系统包括：

- 由各家私有保险公司组成联合组织，以便有组织地分担洪灾损失；
- 将"洪灾损失"与高一级的"初级损失"衔接起来；
- 引入义务性保险，包括"初级损失"，并且基本上实行人人投保。

保险法规定国家负责制定总体框架。保险公司可以拟定防止损失的建议，并随同保险合同加以散发。采取何种损失预防措施，取决于保险系统。风险共担等适宜的保险条款会鼓励投保人采取适宜的损失防御措施，这样一旦发生罕见或极罕见事件时，保险公司将承担保险。

适当保险可以使人们能够承受特大洪水事件带来的风险。适宜的保险条款可以鼓励人们采取防洪措施保护建筑物并进行防汛准备。因此，保险公司可以在加强防洪意识、提供信息和教育等方面发挥重大作用。

如果不规定个人防范义务，就不可能有效地限制潜在损失的增加。

3.14　总体效果

3.14.1　效果种类

本报告说明了所列洪泛区的非工程管理措施的各种不同效果。一方面，有些措施可以减少现有的潜在损失；另一方面，有些措施可以限制潜在损失的增加。

3.14.1.1　对损失程度的影响

减少现有潜在损失的传统方法是转移家具。比较 1993 年和 1995 年的洪水对科隆和荷兰的影响，结果证明这是一种减少损失的有效手段。然而，这种措施本身对损失增加没有影响。

3.14.1.2　对损失增加的影响

避免潜在损失增加的传统方法是保持相应地区的空旷状态。德累斯顿的例子表明：几个世纪以来，可以通过相应管理，保持大城市较小的洪水损失。在居民处于洪泛危险之中的地区，建造可以防洪的建筑物是把洪灾损失保持在低水平的措施之一。在许多情况下，防洪措施只在新建、扩建和洪水发生之后的维修工作中得到了实施。

在洪泛区，只有合理地结合使用各类非工程管理措施，才会降低现有的潜在损失，限制损失增加。在高风险区，应该杜绝新的开发活动。在洪水风险较小的地区，如果采取了建筑规范和防洪准备要求的措施，那么就可以进行开发活动。城市发展措施可以提高现有住宅区对风险区域的适应性。然而，在衡量这些措施的效果时，必须考虑莱茵河沿河各地区的不同情况。

3.14.2　措施效果

3.14.2.1　措施效果调查

措施效果调查结果见表 6-8。

3.14.2.2　措施对洪水频率和强度的影响

措施对洪水频率和强度的影响见表 6-9。

以洪水深度为首要指标的洪水强度对措施成本具有影响。

洪水频率对成本／效益和接受程度具有影响。

3.15　实施

3.15.1　实施者

表 6-10 列出了各类实施者以及他们在限制潜在损失中的潜在作用。

表6-8　措施效果调查结果

措　施	用地控制		防洪建设					防洪准备			应急计划		
	保持地区空旷	建筑规范和区划法令	空间利用	设备	封闭	屏蔽	危险物品	信息准备	警告	应急措施	抗洪和灾害控制	非常溢洪道	财政准备
减少潜在损失的增加	●	●	●					●					●
减少潜在损失				●	●	●	●		●	●	●	●	
0～25%													
25%～50%													
50%～75%													
75%～100%													

注： 所表示的预防性建设措施效果是在中等水位（＜2m）的情况下评估的。

黄色方框表示采取措施后潜在损失的减少数量，灰蓝色方框表示采取措施对潜在损失增加的影响。

表6-9　措施对洪水频率和强度的影响

措　施	用地控制		防洪建设					防洪准备			应急计划		
	保持地区空旷	建筑规范和区划法令	空间利用	设备	封闭	屏蔽	危险物品	信息准备	警告	应急措施	抗洪和灾害控制	非常溢洪道	财政准备
频发洪水事件													
很罕见洪水事件													
较低洪水深度													
较高洪水深度													

注： 黄色方框表示主要运用的各类措施，灰蓝色方框表示辅助使用的各类措施。

3.15.2　实施者的贡献

5.15.2.1　受影响的人群

- 居民：要求居民、经营者或承租者采取旨在限制损失的防洪建设和防汛准备措施。最后剩余风险，尤其是与罕见洪灾相关的风险，可以由财产保险承担。另外，还可以设立灾害援救基金。

- 工商部门：工商界必须借助于建设措施和应急计划为自己的企业进行防汛准备。从洪水灾害控制的角度来看，即使对供电、通讯和供水进行有限的干预，也不会危及到企业的生存。

表6-10　各类实施者在限制潜在损失中的潜在作用

措　施	用地控制		防洪建设					防洪准备			应急计划		
	保持地区空旷	建筑规范和区划法令	空间利用	设备	封闭	屏蔽	危险物品	信息准备	警告	应急措施	抗洪和灾害控制	非常溢洪道	财政准备
有关各方													
居民			●	●	●	●	●	●	●	●			●
商业				●	●	●	●	●	●	●			●
工业					●	●	●	●	●	●			●
农业							●	●	●	●			
基础设施								●	●	●			
机构													
供水部门								●	●		●	●	
建设和规划部门	●	●						●				●	
市政部门	●	●	●	●	●	●	●	●			●	●	
建筑专家													
工程师／建筑师			●	●	●	●	●	●		●		●	
工人			●		●	●		●		●			
应急机构													
指挥部门									●		●		
公安部门									●		●	●	
武装部门和其他应急部门									●	●		●	
保健和医疗部门											●	●	
保险													
公共保险		●	●	●	●	●	●	●		●			●
个人保险			●	●	●	●	●	●		●			●
基本损失基金													●

- 农场：他们主要应该做的是保护家畜并确保贮存物资（化肥、农药等）不给环境造成危害。防洪建筑物应该把技术含量高的设备的受损程度降到最低。
- 基础设施部门：供水、供电、污水处理、公路和铁路等基础设施部门可以利用风险图来实施防汛准备等目标措施，并拟定相应的应急计划。这些行动必须与抢险组织的行动（如道路戒严、更换铁轨、应急供给等）协调一致。

3.15.2.2　机构

- 水资源机构：在防洪过程中，它们负责提供洪水信息和警报，并对抢险组织提供支持。
- 建筑和规划机构：它们的主要职责是控制土地使用，根据洪水风险图来确定哪些区域需要保持空旷状态，哪些区域可以根据建筑规范和区划法令进行适应风险的开发。另外，它们还必须把综合信息提供给受影响的人群。
- 市政当局：它们负责拟定建筑规范和区划法令，是确定防汛准备和灾害控制等适宜措施的联络单位。

3.15.2.3　建筑专家

- 工程师和建筑师：自始至终，新建和扩建工程都应该考虑相应的洪水风险。必要的话，必须咨询密封专家。必须与房地产开发商合作，拟定区划和应急计划。
- 工人：防洪建筑措施应该由具有相关技术的工人来完成。当建筑物需要密封时，情况尤为如此。

3.15.2.4　应急机构

- 指挥部门：它们一般要根据风险图和可能的洪水情况进行应急干预准备，必须对所需要采取的措施及其干预方式进行计划。尤其应该关注受灾者和媒体的信息。
- 公安部门：它们必须参加抢险。其主要工作是发出警报，实施大范围的安全保卫措施，戒严道路和帮助撤离。
- 武装部门和其他应急部门：风险图是武装部门准备有效参与抗洪的基础。根据危险类别（溃堤、漫堤、河岸侵蚀、漂浮物阻塞等）和潜在损失类别（住宅区、工业、农业等）采用相应的抗洪措施。
- 保健和医疗部门：潜在损失图有助于确定在非危险地区（或救援

地区）需要多少临时住所。必须对医院、疗养院以及类似的易受影响单位进行防洪安全检查。

3.15.2.5 保险

根据法律法规，保险公司可以通过适当的保险条款为预防损失作出贡献。拟定建议或方针，确定保险条款并最终限制保险范围，可以实现这一目标。公共保险公司负有公共使命，通常它们可以为其职责范围内的各种建筑物保险。就防洪建筑和行动而言，保险公司规定的保险框架条款最容易加强个体防洪责任。

3.15.3 措施

3.15.3.1 法规

下列领域需要进行法律约束：

- 区域规划：与土地利用相关的洪水危险和需求之间的关系可以借助于区域规划和建筑规范方面的规定加以协调。因此，必须考虑到洪水是沿河生活的一部分，并且洪水影响范围不能扩大（尤其是在特大洪水的情况下）。在这种情况下，保护公众福利才是最根本的。
- 人员保护：必须通过适宜法规来确保人员安全。当同意在易受洪泛区进行新建和重建活动时，必须就人员安全问题进行检查。
- 环境保护：为了避免洪水期间危险物品的释放或尽量限制危险物品的释放，必须制定相应法规。

3.15.3.2 情况

为了限制物资损失，建议确定特殊情况概念。可以在个人合同中确定这些特殊情况，也可以在保险合同以及融资建房（抵押贷款）的总体框架内确定。

3.15.3.3 信息

在下列两种情况下，信息必不可少：

- 强化个人防御措施；
- 采取防洪准备措施。

令人信服的信息是采取任何措施的前提，这是因为，如果没有明确理由，则几乎不可能强迫人们根据情况和法规行事。

参考文献

1　Boettcher, R., Schlenkhoff, A., Löwenberg, A. (2001): Wirksamkeitsstudie. Status Quo und Trendanalyse sowie Fallstudien zu den Teilräumen A2 und A3 in Deutschland. Björnsen Beratende Ingenieure, Koblenz

2　Bruijn de, K. M., Heijer den, F., Hooijer, A. (2001): Flood damage modeling in the Netherlands. Damage reduction by non-structural measures. Delft hydraulics, Delft

3　Burlando, P., Ruf, W. (2001): Wirksamkeitsstudie. Beitrag der Schweiz (Teilauftrag A5). Internationale Kommission zum Schutz des Rheins. Professur für Hydrologie und Wasserwirtschaft, ETH Zürich

4　Pasche, E., Geissler, T.R. (2001): Schadenanalyse und Schadenverminderung im Siedlungsbereich. Internationale Kommission zum Schutz des Rheins. Technische Universität Hamburg-Harburg

5　Perrin, J.-F., Gendreau, N. (2001): CIPR-IRMA: Etude d'efficacité. Section A4 France et Belgique.Rapport final,CEMAGREF,Département Gestion des Milieux Aquatiques, Groupement de Lyon, Lyon

6　WASY (2002): Auswertung der Schadensdaten des Oderhochwassers, Gesellschaft für wasserwirtschaftliche Planung und Systemforschung mbH, Berlin

7　Deutsche Rück (1999): Das Pfingsthochwasser im Mai 1999. Deutsche Rückversicherung AG, Düsseldorf

8　Egli Th. 1996: Hochwasserschutz und Raumplanung. Schutz vor Naturgefahren mit Instrumenten der Raumplanung dargestellt am Beispiel von Hochwasser und Murgängen. Mitteilung des Institutes für Orts-, Regional-und Landesplanung, Nr. 100, ETH Zürich

9　GVA SG (1999): Richtlinie Objektschutz gegen Naturgefahren. Gebäudeversicherungsanstalt des Kantons St. Gallen, St. Gallen

10　MURL (1999): Hochwasserfibel-Bauvorsorge in hochwassergefährdeten Gebieten. Ministerium für Umwelt, Raumordnung und Landwirtschaft des Landes Nordrhein-Westfalen

11　Grundlagen und Strategie zum Aktionsplan Hochwasser (1995)

12　Hochwasserschutz am Rhein-Bestandsaufnahme (1997)

13　Bestandsaufnahme der Meldesysteme und Vorschläge zur Verbesserung der Hochwasservorhersage im Rheineinzugsgebiet (1997)

14　Aktionsplan Hochwasser (1998)/Action Plan on Floods (1998)

15　Rhein-Atlas: Ökologie und Hochwasserschutz (1998)/Rhine Atlas: Ecology and Flood Control

16　Wirkungsabschäzung von Wasserrückhalt im Einzugsgebiet des Rheins (1999)

17　Kriterien für die Bestimmung und Darstellung der Überschwemmungsgefährdung und Schadenrisiken (2000)

18　Umsetzung des Aktionsplans Hochwasser bis 2000 (2001)

19　Atlas der Überschwemmungsgefährdung und möglichen Schäden bei Extremhochwasser am Rhein (2001)/Atlas on Flood Risk and potential damage in case of extreme floods of the Rhine (2001)

第七章　生态保护

1　伊费茨海姆新鱼道中鱼类洄游的视频监测[1]

经过历时 3 年的施工建设，欧洲最大的鱼道于 2000 年 6 月 5 日开始通水，投入试运行。约 300m 长的建筑物利用 37 个 3.3m 宽、4.5m 长彼此相连的水池，克服了伊费茨海姆(Iffezheim)壅水梯级(上莱茵河)上、下游之间约 12m 的水位差(图 7-1)。通过一个配水池，将流量约为 11m³/s 的

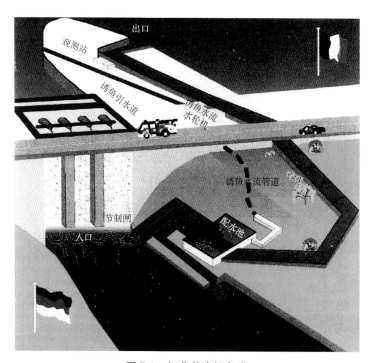

图 7-1　伊费茨海姆鱼道

---

❶ 作者：I.Nöthlich。

特殊诱鱼水流水轮机的水和鱼道本身约1.2m³/s的流量一同分配到下游的3个入口，以诱导这里的鱼类上溯。在鱼道上游端的观测、捕鱼站（筒状捕鱼笼）中对上溯的鱼类进行记录和计数，并单独报告捕鱼笼的计数结果。视频监测装置安装于2000年6月8日，经过紧张的测试于当日傍晚开始进行首次视频监测。

1.1 目的

观测鱼类上溯的目的在于检验新鱼道的作用和确定利用鱼道上溯的鱼的种类及数量，此外还要利用新的测试技术积累经验，并据此对加姆布斯海姆电站新鱼道的设计提出建议。

1.2 方法

视频监测装置的结构如图7-2所示。摄像机位于1块厚玻璃板前的测试室中，通过玻璃可以观察其后0.5m宽的通道，上溯的鱼类要抵达伊费

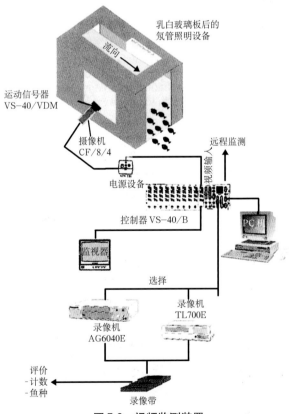

图7-2 视频监测装置

茨海姆壅水梯级的上游，必须游过该通道。为了能看清流水中的鱼，在后壁上安置了一个由氖管和乳白玻璃组成的照明柜，以便形成散射光，使测量段照明均匀。测量段的水深约为1.80m，流速约为0.8m/s。

摄像机通过一个运动信号器对鱼类进行实时拍摄，而后将信号继续输入控制器，并将其显示在实况监视器上。如果运动信号器发出警报，将同时激活一个录像机，它将把录像一直存储到警报解除。一旦运动信号器不再识别运动，这个过程将自动实现。有时需要更换录有图像的视频带，并对其进行评价。

1.3　测量条件

通过调整应确保观测站中的摄像机能够拍摄除水表面以外的测量段被照亮的整个区域。正如随后的观测所示，大部分鱼类在测量段底部1/3处或近底处游动，仅有少量的鱼在表面附近游动。因为光的反射作用使近表面的水流不断发出信号，所以图像上部不作为运动信号区域。

各有16个观测区的4个测链的位置如图7-3所示。通过对测量段内鱼类的表现和游动特点的观察，很快就证明观测区的布置是合理的。鱼类从位于测量段下游的水池游入测量段时通常十分谨慎，它们仔细观察

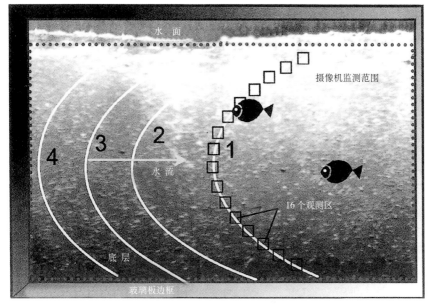

图7-3　观测区的布置

周围的环境，并且在重新尝试上溯以前（大多在近底处），通常要略微后退。鱼类的这种表现致使底部1/3处的测链明显弯曲，以避免过多获取探寻鱼和后退鱼的接触信号，而只优先获取决定游过测量段的上溯鱼的接触信号。通过相应的观测区可以及早地观测到在近底处以及上部1/3处游动的鱼，因为观测表明，鱼类通常是有目的地要游过该扇形测量段。

鱼类发出的接触信号可以分为三类，其一是所谓的探寻接触，即鱼进入测量段逗留或后退，而未游过其左边界的测量段，即未上溯；其二是上溯接触，即鱼类逆流游过左边界；其三是(向下游)洄游接触，即随着水流从上游向下游游过左边界。在计数记录中按照日期、时间、鱼的种类、接触类型(o=探寻接触；x=上溯接触；a=(向下游)洄游接触）记录鱼类的所有接触，并记录其他令人感兴趣的观测(如个体特征、游动特点、受伤情况等)。

除了鱼类外形和体型尺寸外，视频记录还提供了有关测量段中鱼类的多方面信息，诸如昼夜游动的时间、上溯的方式（单独或成群结队）及其当时的状态（平静、紧张、匆忙、迟缓或迅速）。尽管测量段的流速达到0.8m/s，但即使是最小的鱼也不显得吃力。鱼类可以毫不费力地游过摄像机监测的2m长的测量段。所幸的是98%的鱼类仅以中等速度，而不是以逃逸速度游过，因此即使在极其窄小的空间里，鱼类上溯的过程也十分平和，没有出现彼此攻击或进攻其他鱼种的现象。迄今为止，在所观测的数千条鱼中，仅有一例试图啃咬对方的进攻性行为，且遭受攻击的一方已成功逃脱。

1.4 结果

(1)在2000年6月8日~12月31日的试验期间，共有8 868条鱼（不包括中、小鳗鱼）通过伊费茨海姆鱼道上溯（表7-1）。中、小鳗鱼的上溯量估计超过30 000条。鱼道中所观测到的鱼的种类多达22种，同上溯鱼的数量一样令人欣喜。

(2)从鱼类洄游半季的上溯量来看，鱼道的过鱼效果显著。这一评价基于以下认识：

- 电站排水口下游鱼道的3个入口的位置分布合理，由于那里的出流条件，洄游的鱼均聚集在此。

- 下游鱼道3个入口处的导流作用显著，鱼类容易识别，从而发挥了诱导鱼类洄游的作用。

表 7-1　2000 年 6 月 8 日～12 月 31 日鱼类的上溯量
（视频监测与捕鱼笼观测相结合）

鱼　种	上　溯　量	百 分 比（%）
鲃	4 334	48.9
欧鳊	1 687	19.0
软口鱼	743	8.3
赤梢鱼	683	7.7
海鲑	466	5.3
银色鲌鱼	265	3.0
鳗鱼（仅限于捕鱼笼）*	230	2.6
斜齿鳊	177	2.0
大马哈鱼	94	1.1
大头鱼	64	0.7
白眼欧鳊	64	0.7
淡水鲑鱼	18	0.2
雅罗鱼	16	0.2
虹鲑	5	＜ 0.1
鲤鱼	5	＜ 0.1
鲫鱼	5	＜ 0.1
粗鳞鳊	4	＜ 0.1
七鳃鳗	2	＜ 0.1
西鲱	2	＜ 0.1
鲫	2	＜ 0.1
草鲤	1	＜ 0.1
丁鱼岁	1	＜ 0.1
长口鲤，黑脊鲤	1	＜ 0.1
合计	8 869	

* 捕鱼笼仅能捕捉肥大的鳗鱼。根据抽样计数和现场观测，估计洄游的中、小鳗鱼超过 30 000 条。

- 为避免在侧向导引流量为 $10m^3/s$ 的诱鱼水流时形成干扰鱼类的横向流，在配水池中布置了 2 个导向叶栅，它们充分发挥了作用。鱼类可以明显察觉来自第一个洄游池的流量为 $1.2m^3/s$ 的水流，并且没有出现干扰性横向流。

- 各水池中的流量及水位均与规定值和计算相符。

- 不同地点和水深条件下的水流测量表明，鱼道中出现的流速对鱼类洄游来说根本不成问题，它们远远低于鱼类洄游的临界流速。

- 在视频监测装置的测量段中对鱼类游动特性的观测表明，鱼类以其各自特有的方式游过测量段，无精疲力尽的迹象。

- 测量段的流速约为 $0.8m/s$。鱼在受到惊吓的情况下可以在 1s 之内逆流游过近 2m 长的测量段。但在大多数情况下它们都十分谨慎，缓缓游动，有利于视频监测。

- 鱼道在上游通向旁边一个远离水轮机入口的河湾，上溯的鱼类在此可以不受干扰地继续向上游洄游。

(3)事实表明，鱼道中已观测到的鱼种，占作为潜在上溯鱼类的莱茵河现有鱼种的50%以上。如果对2001年春天许多鱼类的洄游进行评价和分析，这个百分比肯定还要增大。总之，在鱼道中可以观测到远距离洄游鱼的许多鱼种以及亲流性 A、亲流性 B 和广适性的鱼种。

(4)所有的试验结果和测量均表明，伊费茨海姆鱼道的结构及水力学条件设计正确，从根本上为鱼类洄游提供了条件，从而确保了鱼道的过鱼作用。鱼类的上溯量也清楚地表明了这点。因此，采用相同的设计原理建造加姆布斯海姆(Gambsheim)鱼道是正确的，这已被事实所证明。与伊费茨海姆鱼道相比，加姆布斯海姆鱼道的路线以及鱼道与下游的连接都较为复杂，因此建议无论如何要重新进行水力学模型试验，以确保水池和连接池设计准确。

(5)关于加姆布斯海姆电站新鱼道设计的另一项建议是，要使鱼道中捕鱼笼的位置与视频测量段相隔足够大的空间距离。为此可以设置一个中间连接的静水池，该静水池的设计计算必须确保从水池流入测量段的为恒定水流，以保证视频监测不受捕鱼笼的干扰。最好是利用系列水池将捕鱼笼与视频监测段隔开。因为上溯的鱼类总是必须首先游过视频测量段，所以应当优先将测量段布置在引起高水位的下游壅水段上游的鱼道中部，而将捕鱼笼尽可能布置在鱼道出口处接近上游的地方。

(6)设计和施工时必须注意，利用背景照明设备将视频监测的测量段完全照亮，以免形成对比度（反差）过小的区域。最好采用无碎石层的光滑混凝土底层。

(7)应当及时制订清除视窗藻类植物和污物的方案，尤其是从设计开始时就应当试验是否可以采用自动清除的方法或采取能将清除费用减小到最低限度的措施。

(8)如果在莱茵河流量较小的条件下，加姆布斯海姆壅水梯级上的水电站也同伊费茨海姆一样实行日调节运行，测量段就会出现运行引起的暂时性水位降低的问题。目前伊费茨海姆正在讨论各种技术方案，其基本思路是根据测量段水位调整摄像范围，但尚未形成具体的建议。

(9)公众对伊费茨海姆鱼道抱有极大的兴趣，因此估计在加姆布斯海姆也会出现观者如潮的景象。建议在参观者接待室播放视频监测装置实拍的现场图像，同时利用大尺寸监视器向观众展示录像带中鱼类洄游的有趣场面。

2　河床浚深对河滩生态系统的影响[1]

2.1　引言

河床浚深致使中欧几乎所有较大的河流，至少在某些河段出现了严重的问题。其原因众所周知，即利用壅水河段拦阻推移质泥沙，利用护岸阻止两侧冲刷，通过整治提高流速以及从河床取沙、取(砾)石。航运、建筑工程、农林业、取水以及其他利用均受到影响，为此不断寻求一切可能解决问题的方案。河床侵蚀以及随之出现的地表水和地下水水位降低的现象导致河滩林绝迹或全部干死，这与上莱茵河南部或哈莱恩以下萨尔察赫河上观察到的情况一样，从而引起公众的关注，尽管为时已晚。而河床侵蚀对河滩林的有些影响并不至于造成灾难，或使植物产生外行也能一目了然的变化，但从整体上看并非无足轻重，然而河床侵蚀对河滩林的这类影响却仍然没有引起重视。本节将对上莱茵河北部河床侵蚀的这类影响进行研究，其他河流或有较大河滩林的河段也存在类似的问题（例如莱茵河中游、南匈牙利的多瑙河、德拉瓦河等），而那里尚未对此开展进一步的研究。

---

[1] 作者：Emil Dister，WWF–Auen–Institut，Rastatt。

2.2 研究区域的初始情况

自19世纪中期以来，在各种水利工程措施的作用下，上莱茵河河床浚深的程度各不相同。既有河床极度浚深的河段（巴塞尔—布赖萨赫）和适度浚深的河段（施佩耶尔地区），也有河床未加深或甚至淤积的河段（卡尔斯鲁厄大区）。据沃尔姆斯水位站的水位值（图7-4）估计自上莱茵河整治开始以来，本节所研究的上莱茵河黑森州河段的河床浚深约为1.8m。

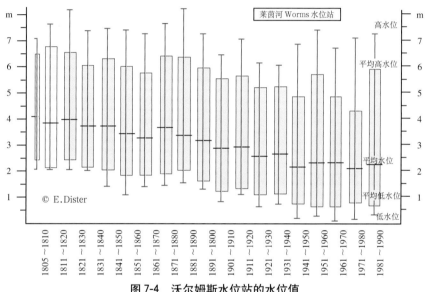

图7-4　沃尔姆斯水位站的水位值

显然该莱茵河河段的冲刷率直到19世纪和20世纪之交还较为适中，而后则显著增大，随之虽然发生了重要的水文变化，但由于上莱茵河南部滞洪区的丧失致使高水位提高，从而在一定程度上作了补偿。尽管如此，水文变化对现今可淹没河滩的影响仍然是巨大的，但迄今为止几乎未进行这方面的研究。大多数人通常认为，受到影响的生物群落可以转移到河滩更低处，并适应那里新的水文条件，植物和动物群落及其占地面积均保持不变。但屈考普夫-可诺普洛赫（Kühkopf-Knobloch）河滩自然保护区的实例证明事实并非如此。

该自然保护区位于468～478km之间莱茵河右岸奥彭海姆的上游，面积约为2 400hm²，总体上看可被淹没，河滩林占总面积的1/3。可诺普洛赫河滩部分利用夏堤阻挡中、小洪水。在此，利用卡尔斯沃尔斯

(Karlswörth）的部分区域来说明问题，该地区位于屈考普夫岛的滩地上，它们曾经一直未受干扰地被莱茵河淹没。附近的埃尔费尔登(Erfelden)水位站可以对河床侵蚀所引起的水文变化作出长期评价,因为所测得的日水位可以追溯到1797年，即德国工程师图拉(Tulla)整治开始前20年。

　　原莱茵河岛屿卡尔斯沃尔斯以及林德斯沃尔斯(Rindswörth)的植被为接近自然结构、数十年来未再利用的古老的硬木河滩林，在欧洲其他地区仅在下奥地利的马希河（March）下游还有小面积的这类河滩林，在植物群落学上它们归于栎属和榆属（Querco Ulmetum Issler 24）。硬木河滩林全都生长在细颗粒土壤中（大多为黏土），其厚度一般很少超过0.5m。下面是根本无法扎根或只有粗根才能生根的沙土。只是在河堤和岸堤上才有较大的细沙层，河滩土壤的pH值为7.4～8。

2.3　河床侵蚀引起的生态水文变化

　　整治前（1801～1820年）与不久前（1961～1970年，1981～1990年）埃尔费尔登（Erfelden）水位站的水位值的比较表明(表7-2)，这个狭小的研究区域的河床浚深也大约达到1.8m。低水位和平均低水位值证明了这点，而高水位则未发生明显的变化。这是因为1955～1977年间上莱茵河的现代化开发使其南部丧失了约130km^{2}的淹没面积，导致高水位增大。水位变幅大约增大了一个相当于河床浚深的量，即高水位保持不变，而低水位则降低了1.8m。这个在业内基本知晓的事实对植物产生了重要的影响，本节将对此进行研究。

　　屈考普夫（卡尔斯沃尔斯）古老的硬木河滩林最低处植物的上部树

表7-2　埃尔费尔登（Erfelden）水位站的水位值　　（单位：cm）

水位	1801～1810年	1811～1820年	1871～1880年	1961～1970年	1981～1990年
高水位	654	694	653	642	678
平均高水位	593	614	585	465	553
平均水位	383	376	333	222	
平均低水位	244	244	173	51	59
低水位	200	190	129	0	14

层主要为英国栎，此外还有欧洲白蜡树、欧洲白榆和灰白杨。据年轮钻孔检测，大部分英国栎的树龄约为250年，树龄明显增大，也有树龄超过300年的英国栎。这些古老的栎树在上莱茵河整治前度过了其幼年期，那时河床浚深不明显，水位变幅也仅约为5m。植物的最大淹没高度基本保持不变，但淹没时间发生了显著的变化。对植物而言，淹没时间是决定其能否在河滩上生存的重要因素。

19世纪初，在河滩林最低水位条件下，即埃尔费尔登水位站水位约为4.25m时，每年平均淹没时间超过90天。在非常年份，如1817年淹没时间达到217天。在这种条件下，树木的生存显然不存在问题。而如今同样的英国栎每年平均淹没时间仅为14天（图7-5）。在极干燥的年份，

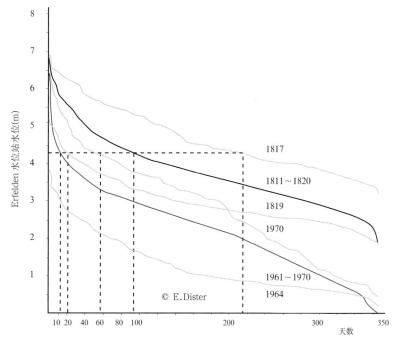

图7-5 整治前和不久前埃尔费尔登水位站特征水位历时曲线
（1817年和1970年：丰水年；1819年和1964年：枯水年）

如1971年和1976年则根本没有水。

河床侵蚀引起的变化对地下水区也产生了严重和持久的影响。即使不利用地下水数值模型进行精确的研究，仅根据埃尔费尔登水位站的水位变化曲线也可得知，19世纪初，即使在极干燥的年份，在这些靠近河

流的地方，地下水位也从未下降到低于地面以下1.7m，树木完全处在地下水影响范围之内；在丰水年份，地下水几乎全年都接近地表（图7-5），致使树根供氧困难，尤其是在极细颗粒的土壤条件下。可如今在枯水年份地下水位则低于地面以下2.5m，因此对植物毫无意义；即使在正常年份，地下水面与地面的垂直距离也过大，以致不能对植物产生重要的影响。

2.4　对植物的影响

依据上述水文发现可以毫无疑义地断定，19世纪前半叶硬木河滩林的植物(包括残留的栎树、榆树和欧洲白榆)与如今河滩林的情况完全不同。当时的草本层主要由沼生植物如苔属、黄鸢尾属、沼生勿忘草、排草属等组成,而灌木层则由于长期处于高淹没度条件下发育得残缺不全。这样的栎树和榆树林现在在德国再也见不到了，过去在自然状态下也只能在少数低地河流上，或许仅在上莱茵河北部可以看到。图7-6所示为阿尔卑斯山水文条件下中欧低地河滩生态图。如今萨文河(Save)畔被称做"沼生栎林"的残留硬木河滩林还能给人留下一点这类河滩林的印象。GLAVAC(1969年)通过研究认为，这种河滩林无论是从其水量平衡还是

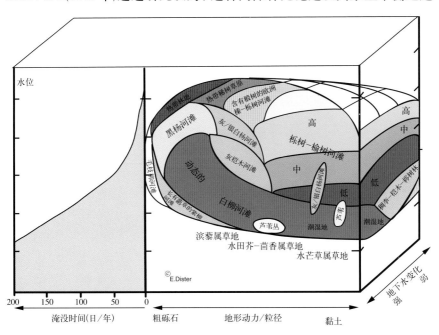

图7-6　阿尔卑斯山水文条件下低地河滩生态图

植物种类来看均与中欧硬木河滩模型不符，这肯定是无法保持的。GLAVAC本人也承认，近两个世纪，中欧的水文条件发生了根本的变化。

然而仍然无法解释在淹没时间减少的条件下最低层的栎树和榆树林为何不能移到更低处的原因。值得一提的是，河床浚深和随之出现的水文变化过程起初发展较慢，直到19世纪90年代植物的种类尚未产生重要的变化。无论过去还是现在，生态演替只能随着后来发生的迅速变化缓慢推进。19世纪及后来利用泥沙沉积和冲积新获取的土地大都用于种植柳树，这样一方面有助于进一步的泥沙沉积（造地），另一方面也有利于今后柳树的利用。从前柳树和硬木河滩林的利用远远超过如今人们所能想象的程度，直到20世纪60年代上莱茵河畔还在砍伐河滩林、拣出呆木、割剪灌木和取出枯枝。此外，在第二次世界大战之后，这些地方种上了杂交白杨。在这种条件下，自然的生态演替几乎无法奏效。在那些生态演替原本可以顺利进行的地方（通常在向潮湿的白柳河滩过渡的最低处），并不少见的芦苇使木本植物几乎无法介入。因此，现在只能在很少的地方观察到向丛林群落方向发展的缓慢的生态演替过程。

如今这种丛林群落在中欧完全消失，令人痛惜。这种情况是随着其他大量依赖于所处环境地形动力的河滩林和灌木群落的大规模消失而出现的（图7-6），而由于相同的原因，诸如河床侵蚀、河流裁弯取直、护岸和壅水梯级建设等，它们的生存也受到阻碍。此外，估计上莱茵河出现的由河床浚深引起丛林群落消失或变化的情况也会以类似的方式发生在其他河流上，但迄今为止尚未发现，因此原则上有必要对所有河床浚深且有河滩林的河段有所考虑。

第八章　综合水管理
——从污染防治到生态系统改善

　　莱茵河是欧洲的主要河流之一，也是最著名的河流之一。许多世纪以来，莱茵河是重要的水运通道，为粮食生产和居民生活提供了宝贵的水源。它还促进了人类的定居，成为诗人和作家创作灵感的源泉。西北欧绝大多数的现代工业是在莱茵河沿岸发展起来的。

　　它发源于瑞士，流经法国、德国和荷兰，最后流入北海。与世界上其他著名的河流相比，例如密西西比河（全长6 200km，流域面积390万km²)，莱茵河的规模不算壮观。它全长1 320km，流域面积18.5万km²，只是欧洲的第三大河，但是它在欧洲发挥了极其重要的作用。早在古罗马时代，莱茵河畔兴起了许多重要城市。如今有5 000多万人居住在莱茵河流域。莱茵河是欧洲最繁忙的航运通道，连接了世界上最大的海港——鹿特丹和世界上最大的内陆港——杜伊斯堡。在莱茵河畔，例如Ruhr地区、Main地区和Rijnmond地区，形成了大型工业集团。欧洲绝大多数重要的化工厂也是沿着莱茵河兴建的。

　　莱茵河被用于工农业生产、发电、城市污水排放、娱乐活动，并为2 000多万人口提供饮用水源。此外，莱茵河是许多植物的产地，为鸟类、鱼类和其他动物提供了天然的栖息场所。

1　利益冲突及生态环境问题

　　莱茵河引起的利益冲突和问题日益增多，这些问题包括水质下降、河流生态破坏和水位较高（易导致洪水）。

　　早在1449年，就有记录表明由于过度捕鱼和污染导致了令人吃惊的

作者：Koos Wieriks 和 Anne Anne Schulte-Wülwer-Leidig，保护莱茵河国际委员会。

渔业衰退。为了解决这些问题，从法律角度制定了《斯特拉斯堡法规》，开创了国际保护莱茵河生态系统的先河。

1817～1874 年期间，图拉对上莱茵河进行规划并实施了"纠正性"方案：蜿蜒的河道被裁弯取直。该方案的本意特别是保护莱茵河畔的居民免受洪水侵袭、改善河道通航条件、改造冲积地为农业用地。尽管该方案的设想多么美好，但是它没有预见到随之而来的许多水文、生态方面的负面影响。在 20 世纪，人们对莱茵河河床采取了进一步的"纠正性"措施，莱茵河位于瑞士巴塞尔和德国北部边界黑森之间的河段共缩短了80km。因此，河流的弯道和冲积地消失了，这意味着河流的生态系统经历了巨大的改变。莱茵河的改道带来了许多无法预见的、不受欢迎的负面影响，例如流速加快导致冲刷加深、周边地区地下水位下降、中莱茵河地区洪水危险增加等。

为了发电之需，在莱茵河及其支流上建造了许多大坝和堰，由此进一步引起生态变化。这些障碍物阻止了鲑鱼——莱茵河最重要的鱼类洄游至莱茵河上游产卵，因此莱茵河的鲑鱼数量持续下降，由 1870 年的 28 万尾下降到 1945 年的零尾（图 8-1）。人为改变莱茵河天然水流状况，给莱茵河生态系统造成了负面影响，鲑鱼消失就是最明显的例证。

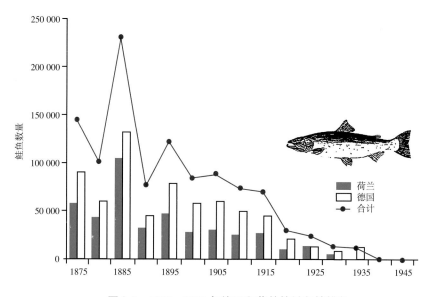

图 8-1　1875～1945 年德国和荷兰的鲑鱼捕捞数

尽管在15世纪人类就意识到莱茵河水质问题，但是到20世纪60年代末莱茵河污染变得越来越严重。当时，莱茵河的有机污染物使得溶解于水的氧气降到了2mg/L以下。由于氧气不足，整条河的水生动植物差不多都消失了。莱茵河沿岸化工厂的污水排放也对莱茵河生态系统构成威胁。大量重金属化合物、农药、碳氢化合物和有机氯化物被排入莱茵河，更加重了生态问题，突出表现为固有鱼种消失、水质持续下降和淤泥污染。为了提供高质量饮用水源，需要做很大的努力。到20世纪60年代末，莱茵河名声变坏，被称为"欧洲的下水道"。

2　国际合作

显然，只有通过国际合作才能有效解决莱茵河问题。为了应对严重状况，莱茵河沿岸国家，即瑞士、法国、德国、卢森堡和荷兰，于1950年联合成立了保护莱茵河国际委员会（ICPR）。但是，该委员会花了20年时间才采取了实质性的污染防治措施。1963年签订了《保护莱茵河伯尔尼公约》。但是大约到1970年才首次采取了国际合作措施，保护莱茵河不受有机物污染。

也许有人会问ICPR为什么要花近20年时间才采取污染防治措施。如果早一点采取污染防治措施，就可以改变莱茵河污水排放状况。造成耽搁的原因主要有两个：第一，这些国家在一个国际组织里共同工作，需要一段时间营造积极的工作氛围，培养合作精神。相互信任是国际合作最重要的前提，即使莱茵河各国的社会、经济背景相似，仍然需要时间相互适应，了解其他国家的具体问题、目标和方法，认清合作的共同基础。第二，1970年前对环境问题的总的政治态度。由于缺乏政治上广泛支持和承诺，不能实施防治污染的严厉措施。直到20世纪60年代末，"Torrey Canyon"号油轮失事（造成12万多吨原油泄漏），环境问题才成为政治议事日程的一个重要问题。特别是水污染问题受到了极大的关注，制定了一系列的国际公约保护水环境。政治对环境问题的新认识体现在以下方面：举行了许多国际会议，制定了保护环境的国际公约。例如，1972年在斯德哥尔摩召开了联合国环境大会，1972年签订了减少向大海抛弃废物的《奥斯陆公约》和《伦敦公约》，1973年签订了减少船舶污染的《Marpol公约》，1974年签订了减少陆地污染源造成大海污染的《巴黎公约》。各国也开展了类似活动，通过了保护地表水的法规和各种计划。有利的政治气候和日益严重的莱茵河污染为有关减少莱茵河排污的环保决策制定和措施实施铺平了道路。

1970~1985年期间，开发了一些项目，成功地减少了城市生活污水和工业废水的排放量。1970~1990年期间，投资800多亿德国马克兴建生活和工业污水处理厂。在ICPR工作影响下，莱茵河水质逐渐改善，水中氧气含量逐渐增加，无机污染物也减少了。在这段时期，人们主要致力于"管道末段"的技术，即污水处理，还没有重视预防措施。

1976年，ICPR通过了《防止莱茵河化学污染国际公约》，进一步加强了莱茵河环境保护。该公约一个很重要方面是介绍了一个"黑色"和"灰色"目录系统，旨在限制有害物质的排放。在该公约指导下，ICPR的工作之一就是确定具有国际约束力的剧毒物质最高排放值，对水银、镉和许多有机物限定了最高排放值。各国也实施了新排放标准。但是在限制有害物最高排放值时，很快遇到了困难，影响到经济发展，这种影响超出了莱茵河流域。为了公平的国际竞争，欧共体委员会号召大家来探讨这个问题。遗憾的是，欧共体的这项工作耗费了大量宝贵时间。该项工作进展缓慢也影响了ICPR的工作。欧共体委员会花了相当长时间只讨论了选定的有害物质最高排放值。可是，在德国早就有一种行之有效的行业措施，规定了特定工业部门的所有相关污染物（如BOD、COD、重金属、有机微生物污染物等）最高排放参数。在某些特定情况下，这些标准只能更严而不能放松。ICPR讨论了各种措施，但没有作出任何决定。这是ICPR感到最有压力的一段时间。

一方面，降低有机污染物向莱茵河排放取得了重大国际进展。因此，生物多样性在战后时期第一次呈现出巨大的增长趋势。ICPR各成员国均采用了监测软件，记录了这一增长过程，现在已经大大改进了该监测软件。另一方面，尽管有国际公约，但是仍不能充分解决有害化学物质造成的无机物污染问题。《防止莱茵河化学污染国际公约》规定了约定俗成的详细措施，常常阻碍实际操作。

由于局势不明朗，ICPR所进行的讨论也就相当复杂和缓慢。环保决策过程经常如此。这种状况一直持续到1986年，一次重大事故促进了人们必须对污染问题采取行动。

3 Sandoz事故和莱茵河行动计划

1986年末，一家化工厂事故说明了莱茵河生态系统是多么脆弱，还有许多潜在危险威胁着莱茵河生态系统。瑞士巴塞尔附近Sandoz化工厂仓库失火，造成灭火器溶液和含有多种有毒化学物质的污水排放到莱茵河中，这些污水顺河而下，远及科布伦茨附近Loreley悬崖，造成该河段几乎所有水生动植物的死亡。脆弱的莱茵河生态系统仍处于危险之中。

Sandoz事故在莱茵河周边所有国家激起了一阵保护莱茵河的宣传热浪，也引起了政治警惕，在很短时间里召开了三次以上部长级会议，讨论了莱茵河污染问题。1987年最终制定了"莱茵河行动计划"（RAP）。

人们经常这样议论：Sandoz事故发生在适当时刻，使得ICPR"时来运转"。20世纪80年代中期与70年代早期一样，环境问题已经成了许多国家政治议事日程中的重要问题。如果当时政治关心环境，那么Sandoz事故为莱茵河周边国家的环境部长提供了最佳时机，以表达他们的行动意愿。由于无法预料这场事故的发生时刻，因此用"时来运转"来形容ICPR当时的处境很恰当。但是ICPR的各国部长们所采取的决策是否有效，绝不是幸运的巧合。当时ICPR的机构框架就证明了这些决策的价值。把政治准备、Sandoz事故与现有的机构框架和ICPR广泛开展的预备工作相结合，为"莱茵河行动计划"打下了较好的基础。

"莱茵河行动计划"明确制定了2000年目标，即：

- 改善莱茵河生态系统，较高级的物种，例如鲑鱼和海鳟，能够重返原来的栖息地；
- 保证莱茵河继续作为饮用水源；
- 降低莱茵河淤泥污染，以便随时利用淤泥填地或将淤泥泵入大海。

在"莱茵河行动计划"中，部长们通过了一些很具挑战性的宏伟目标。例如：1985～1995年期间，有害物质的排放量降低50%；到2000年，鲑鱼重返莱茵河。

1988年，北海出现了大量海藻，这说明了莱茵河污水排放与其对河口外围海洋环境的影响有着密切关系。随后，"莱茵河行动计划"中增加了第四个目标：

- 改善北海生态。

"莱茵河行动计划"标志着人类在国际水管理方面迈出了重要的一

步。人们首次作出明确承诺：要拓宽合作范围，而不仅仅限于水质方面合作。生态系统目标的确立，为莱茵河综合水管理打下了基础。所以，不仅要防治莱茵河污染，而且要恢复整个莱茵河生态系统。

该计划分三阶段实施。在第一阶段，ICPR确定了一个需要优先解决的有害物质清单，分析了这些有害物质及其来源和排放量。此外，为了减少水体和悬浮物污染，ICPR急需一套有效的工业生产措施，以确定工业生产和城市生活污水处理的技术和流程。另外，ICPR还开发了一些有效措施，以降低如Sandoz火灾等意外事故造成莱茵河污染的风险。

在第一阶段工作完成基础上，开始了第二阶段的工作（到1995年止），目标是真正实施一致通过的措施。第三阶段从1995年到2000年，进一步实施相关措施，有的方面进行"微调"，最后再寻求新的实现目标的措施。

1987年，受Sandoz事故直接影响，莱茵河流域的环境部长们建议ICPR开发一个模型，以便快速、可靠地预测类似事故的影响范围。ICPR与莱茵河流域水文国际委员会、莱茵河周边国家的专门机构、Delft技术大学、Freiburg大学和Bern大学合作，开发并测试了这种预测模型。借助于该模型，可以预测整条莱茵河污染物浓度以及在何时、何处污染物浓度最高。该模型提供了决策支持系统软件，易于操作。由于计算快捷，莱茵河沿岸警报中心能够立即预测重大事故对下游的影响。因此，可以立即启动相关措施，防止或减轻污染造成的损失。如果莱茵河沿岸发生事故，该模型能够预测整条莱茵河（从康斯坦茨湖到荷兰）的污染情况，预测范围甚至包括河口地区的三条河流：IJssel河，Nederrijn河和Waal河，当然不包括它们的感潮河段。警报系统还监测莱茵河支流：Aare河、Neckar河、Main河和Mosel河。该模型还能计算死水区对有毒物质扩散的影响，借助大量的示踪试验，对计算结果进行了校准。

如果莱茵河流域的一些工厂发生事故，那么有可能造成大量的莱茵河水污染。因此，ICPR清查了所有工厂，各国有关责任部门定期检查这些工厂的设备安全标准和安装情况。

ICPR的综合报告《防止事故污染和工厂安全》概括了基本的工业安全的方方面面。自1992年，ICPR对防止事故污染和工厂安全的关键方面提出了建议，讨论了有关问题，如防止填装时溢出的安全锁定装置、防火意识、有害物质倾覆、管道安全等。

虽然一场事故启动了"莱茵河行动计划"，但是该计划的核心是如何减少正常情况下有害物质的日排放量，应该说"莱茵河行动计划"在这方面的工作相当成功。为了防止污染，沿河采取了各种措施。早在1994年，ICPR就可以报道已经实现了绝大多数减污目标。在工业污染源地区，完全达到了减污50%的目标，许多污染物甚至减少了90%。

有的污染来自扩散源，特别是农药和化肥的流失，使得实施"莱茵河行动计划"有一定困难。计划实施的第三阶段将着重解决这类污染源造成的污染。但是，可以说莱茵河水质在很短时间里有了很大改善，现在完全达到作为饮用水源的标准。20世纪70年代，人们称莱茵河为"欧洲的下水道"，而现在的莱茵河成了该地区最清洁的国际河流之一。

为了推动莱茵河水质公开、有效评估，ICPR开发了一套水质目标系统。这些"目标"不包括污水的绝对指标，主要目的是促进对莱茵河水质简易的定量评估，为解决不同污染物问题的有关措施排序提供工具。这些目标与莱茵河最重要的环境资产（水生动植物和饮用水源）保护密切相关，还包括渔业质量标准、悬浮物和淤泥质量（必要的话）。对45种物质执行了最严格的含量控制指标。

针对不同资产保护，对45种物质或分类物质的监控也不尽相同。下面举氯仿的例子来说明这个问题。由于氯仿不会积存在生物体内，所以对鱼没有什么影响。因此，水中氯仿含量与保护渔业资产无关，也不影响悬浮物和淤泥，但影响饮用水源保护。一般情况下，饮用水中氯仿含量临界值为$1.0\,\mu g/L$，但是这个值对保护水生群体来讲过高。从生态毒理学角度估计氯仿对细菌、水藻、甲壳动物和鱼的影响，$0.6\,\mu g/L$的氯仿含量比较合适，所以为了同等保护这四种最易受影响的资产，ICPR确定了这个最低值。

到1994年末，针对绝大多数试验物质采取了"莱茵河行动计划"框架内的措施，取得了预期效果。有些物质的浓度控制还未达标，它们是重金属铅、汞、镉、铜、锌，还有六氯化苯、HCB、PCB和铵氮肥。为了使莱茵河中这些物质浓度达标，还需要进一步努力，以降低排放量。在绝大多数情况下，这些污染物来自扩散源或被污染的淤泥。

4　生态保护——2000年鲑鱼计划

Sandoz事故发生后，具有高度责任感的部长们立即表态：改善莱茵河生态系统，由此演绎出十分宏伟的目标。其中最具挑战性的目标是让洄游性鱼类重返产卵地，这意味着到2000年鲑鱼重返莱茵河。当然，"鲑鱼重返"不是限于单一鱼种的单个目标，而应总体上当做莱茵河生态系统恢复的标志和措施。

为了实现这个目标，ICPR认识到必须在很短时期内采取一系列措施。上述"莱茵河行动计划"中降低污水排放、改善水质，是这条河原生鱼种成功重返的首要前提。为了让鲑鱼重返产卵地，还要开发和实施更多项目。首先，在莱茵河及其支流的许多大坝上大量投资修建鱼道；其次，采取相关措施改善许多支流上的栖息地以便恢复产卵地；最后，为了重新培养莱茵河鲑鱼，有关部门在苏格兰和法国西南部购买鲑鱼卵，将它们放在特别孵化器里孵化，上千尾鲑鱼苗被放入莱茵河，并且开发了一套监测鲑鱼生长状况的软件。欧共体委员会资助了其中许多项目的实施。

ICPR"2000年鲑鱼计划"是西北欧成功实施综合水管理的标志。在政策制定和实施过程中，将生态保护与水质改善相结合，是河流管理成功的前提。该计划的实施实质性地改善了莱茵河生态状况，实际上已经超过了预期目标。自1990年就有鲑鱼和鳟鱼从大西洋返回莱茵河及其水系的支流中；自1992年有记录表明鲑鱼和鳟鱼能够自然繁殖。1995年在法国斯特拉斯堡附近伊费茨海姆大坝（德国境内）下捕到9尾鲑鱼，这说明鲑鱼实际上可以从大西洋向莱茵河溯游700多公里。这个目标在1987年似乎是个"乌托邦式"的，可是在很短时间内实现了。

"2000年鲑鱼计划"的成功实施，再次强调了莱茵河周边国家国际合作的有效性。国际上宏伟的政治目标已经成功地转化为各级地方所采取的具体措施和行动。沿岸全体人民正在努力实现共同目标，争取更大胜利。

5 1993年和1995年洪水

1994年莱茵河沿岸各国负责水管理的部长们选择通过ICPR开展更为广泛的国际合作，对莱茵河进行量化管理，并纳入各国政策。这个决定为进一步综合定性定量水管理和生态水管理铺平了道路。

在1993年和1995年，莱茵河的中下游发生了两次洪灾，加强了人们对莱茵河实施综合管理的意识，也促成了更多的政治承诺。"莱茵河行动计划"取得了积极的成果，在此基础之上，有关部长要求 ICPR 在防洪方面开展国际行动计划。大家认为通过莱茵河周边国家的合作，加上 ICPR 高效、务实的整套措施，在国际防洪问题上也能取得同样的积极成果。ICPR 立即将这个新观点与它的使命相结合。1995 年末，通过了第一个莱茵河洪水管理国际战略文件。该战略文件最重要的结论是：既然人类无法阻止自然界洪水发生，那么国际行动应集中在蓄滞洪区管理而不是洪水管理。制定了十条指导性原则，作为多轨制结构性措施的基础。

ICPR 还对过去和现在洪水多发地区进行调查。该项调查于 1996 年底完成，为相关国际行动计划和措施提供了重要的背景材料。第二次调查是关于莱茵河沿岸现有国际警报系统与气象预报站国际网络的结合情况。制定国际防洪行动计划，直接有利于莱茵河周边国家的安定团结，仅在地方、地区和国家范围内采取措施还不够。技术措施会缓和一些问题，但是下游问题最终只能靠上游工程措施解决。所以 ICPR 的主要工作是启动国际防洪行动，说服包括政府、组织和当地群众在内的众多利益相关者采取共同行动。

ICPR 面临的另一个挑战是将防洪行动计划与其目前和未来恢复莱茵河生态的活动紧密结合起来。可以将洪泛区管理目标与莱茵河冲积区的生态恢复很好地结合起来，但是在具体实施某个项目时要复杂得多。

正如国际河流污染不仅仅是莱茵河的问题，其他国际河流也同样存在洪水问题。例如默兹河和 Scheldt 河就有类似问题。因此，正在为这些河流规划类似的战略解决措施。欧共体在欧洲土地利用规划框架内启动了防洪项目。欧共体的启动作用十分宝贵，为采取不同于传统意义上的水管理措施提供了机遇。土地利用规划文件将有利于保护危险地带，不搞建筑，划出特定区域为蓄滞洪区或溢洪区，以便提高整个流域的蓄水能力。显然，面对如此多的倡议和论坛，需要在相关学术团体和组织之间做很好的权衡和协调工作。上述例子说明了在解决水问题方面开展国际合作十分复杂，需要不同流域间的高层合作。

ICPR 特别强调流域管理措施。实际上几乎欧洲所有重要河流和海洋都在采取这种管理措施。另外，欧共体正在着手起草一个总体欧洲水政策，作为全新的框架指导。实际上，国际河流存在许多差异，为欧洲所有河流制定一个约定俗成的政策无异于徒劳。另一方面，需要在不同的河流和海洋之间建立合作组织，旨在交流信息和经验，在不同地区间达到一定程度的和谐。至于和谐，这当然需要充分地、准确地考虑不同流域的地理、自然和社会经济状况。

6　ICPR组织机构

为了适应政策变化，ICPR组织机构作了多次调整。1995年ICPR作了结构性重组，将防洪纳入其工作范畴，优化整合一系列措施。部长级会议每隔2~3年召开一次，为ICPR制定政治目标，同时为正在进行或已完成的项目评估提供平台。ICPR由各成员国最高官员组成，每年召开一次会议，决定工作计划、财务开支和正常工作程序。委员会内部有一个协调小组，每年开4次会，实际负责ICPR计划和协调工作。3个常设工作小组分别负责水质、生态和污水方面的工作，2个临时项目小组受委托正在筹备《新莱茵河公约》和"防洪行动计划"。还有许多专家小组解决与常设工作小组和项目小组有关的具体问题，每个专家小组都由各国政府专家组成。一个小型国际秘书处办公地点设在德国科布伦茨（Koblenz），管理ICPR日常工作。

ICPR新近倡导与非政府组织之间的合作，已决定加强与国际非政府组织的信息交流，以便对有关问题和解决方法取得共识。ICPR的第一个倡议是组织召开了"与莱茵河共生存"国际会议。这次会议讨论了目前所有关于莱茵河问题，以便制定未来莱茵河政策。所有相关国际非政府组织参加了此会，就莱茵河未来发表了它们的观点，对ICPR未来工作提出了建议。这次会议十分成功，随后ICPR又组织了一次非政府组织听证会。最近，非政府组织和ICPR常设工作小组又召开了专门会议。这些会议讨论了具体问题，如质量目标制定、监测计划开发等。与非政府组织交流信息，有望成为ICPR常规工作的一部分。

7　莱茵河流域管理现状和展望：经验和教训

最近一次洪水再次强调了整个莱茵河流域综合管理的重要性。在国际团结合作的基础上，采取莱茵河流域综合管理措施。ICPR已经在这方面积累了很多经验。1950~1970年，该委员会的主要工作是奠定了国际合作的法律基础，并且开发了一些联合监测项目。自1970年以后，开发了很多减少莱茵河污水排放措施。根本方法是修建工业和城市生活污水处理厂。尽管这种"管道末端"措施改善了莱茵河水质，但是实质性的改善还是在 1987 年通过了"莱茵河行动计划"（RAP）以后。RAP 通过综合措施解决莱茵河水质问题，以预防措施为主，首次实质性地降低了污水排放。在确立了莱茵河生态目标后，RAP 拓宽了河流管理的范畴：由水质管理发展到水管理。自 1993 年和 1995 年洪水以后，将一些定量指标与 ICPR 工作相结合，进一步拓宽了该委员会的工作范围——综合水管理。

因此，为了实现这些目标，ICPR 需要扩大它的机构。防止有害物质的排放不仅仅是许可证问题。对于不同工业部门要开发综合加工措施，结合整个欧洲情况调整生产政策，必要的话要改变消费方式。显然，与土地利用规划部门密切合作是防洪的前提。

ICPR 正在准备起草《新莱茵河公约》，它将为综合管理措施提供法律依据。新公约将对莱茵河未来可持续发展的所有必需要素进行综述，它的一个重要组成部分是与非政府组织的信息交流与合作。成功实施未来莱茵河政策的基础是对目标和措施取得共识。莱茵河管理不仅是政府的责任，更是莱茵河流域每个市民、农民、社团或行业的责任。《新莱茵河公约》和 ICPR 将组织讨论、通过并实施有关莱茵河政策。

ICPR 已积累了 50 多年的国际合作经验，在流域综合管理的基础上管理莱茵河具有一定的灵活性。基于 ICPR 制定的上述总协定和框架政策，各国可以选择适合本国国情的实施措施。制定过分详细的、约定俗成的政策需要大量时间，而这往往会阻碍其在各国或各地区的实施。同样，各工业企业或其他污染者所采取的具体措施也不尽相同。技术措施的确定、新生产工艺的投资等需要具体的目标小组来确定，而不是由中央政府间的组织来作决定。

在制定未来政策时，公开是另一重要要素。政治支持和公众支持是成功制定和实施莱茵河政策的前提。只要该政策目标明确，具有创新、透明和公开的特征，就能实现该政策。计算机和通讯技术的最新进展有助于 ICPR 的信息交流战略。

ICPR 框架下莱茵河周边国家的成功合作为其他河流组织进行合作树立了榜样。当然，不能将莱茵河管理模式照搬到世界其他河流的管理上。所以，要仔细分析 ICPR 所采取的每一个步骤，学习它的经验教训，这十分重要。反过来，ICPR 也可以学习其他国际河流的管理经验。

虽然莱茵河管理已经取得了很多成绩，但是仍有许多工作要做。为了莱茵河可持续发展，ICPR需要在今后开发新项目、采取新措施。ICPR面临的挑战是证明它具有很好地完成这项工作的能力。

ICPR成功的基础是开展国际合作、团结各国人民、灵活应用政策、采取切实可行的措施。这些也是ICPR在未来取得成功的基础。正在实施的整个莱茵河流域综合水管理及其未来可持续发展战略将进一步改善莱茵河，为世界上其他地区的流域水管理树立新榜样。

8 结论

国际河流问题只能在流域范围内才能得到有效的解决和预防。但是，不同流域之间开展信息和经验交流十分必要。欧共体为创造这样的交流基础发挥了重要作用。

流域管理要求采取综合措施，包括：控制水质、保护生态和确定取水量。只解决单方面问题的措施不能解决所有问题，还会造成新的长期问题。

整条河流可持续发展应该是制定国际河流未来政策的基础。这意味着要兼顾所有利益和利益群体、现状和未来，促进河流的平衡利用。

中 篇

典型案例

第九章　三角洲管理

1　引言

外国人曾说："上帝创造了世界，但是荷兰人塑造了荷兰。"这句话明显是指对濒临北海、莱茵河与默兹河三角洲支流的低洼地区自然状况进行人为干扰。最初干扰及其影响是局部的。但随着时间的推移，干扰及其影响后果不断扩大。为了使这个国家适合居民居住，必须筑堤、筑坝拦截小潮汐河流和人工排水造垸。大量使用风车围垦天然湖泊和人造湖泊。蒸汽泵站的使用意味着人工排水的规模进一步扩大。19世纪和20世纪进行了大面积围垦。在20世纪，为了安全，荷兰人因风暴潮而封堵了一个内陆海和几个河口。通过下莱茵河渠化完成的Zuyder海和三角洲工程使荷兰全国在水管理方面达成一致。

低洼围垸的盐渍化是荷兰的一个重要问题。由于地质历史原因，荷兰西部和北部地区的地下水稍咸。为了去除咸味渗流，利用莱茵河淡水冲洗围垸和蓄水渠。1932年莱茵河氯化物含量不断增加，要求法国和德国政府限制氯化物和其他污染物排放。但是这种要求没有产生什么作用。

二战后，莱茵河污染不断加重，引起了各国和国际关注。经过沿岸国家政府审议，于1950年成立了保护莱茵河国际委员会（ICPR）。ICPR彻底监测和研究了各种污染源和影响，但没有制定具体的卫生措施。

在20世纪60年代和70年代早期，生活和工业污染造成了严重的水质问题。莱茵河下游和三角洲的水生生物消失了。在枯水期，莱茵河水质太差不能作为饮用水源，必须中断取水。这迫使莱茵河沿岸各国政府采取了一致措施。实施卫生措施和废水处理确实改善了水质。但是良好的水系统不仅仅是需要清洁水。改善卫生状况的主要目标是提高沉积物

作者：Pieter Huisman，荷兰 Delft 技术大学、内陆水管理和污水处理研究所。

质量。由于莱茵河生态系统不仅受到污染影响，而且还受到其他干扰影响，因此莱茵河生态系统的修复需要一系列的措施。

2 下沉的三角洲

罗马人首先对莱茵河三角洲进行了大规模的干扰。将军 Corbulo 和 Drusus 分别把莱茵河与默兹河、莱茵河与 IJssel 河连接起来。由于没有文字记载，罗马时代以后的变化不得而知。大约公元 1000 年，西欧人口急剧膨胀，许多人挨饿。为了增加黑麦和小麦产量，人们开始系统地耕种土地。在泥炭和黏土组成的沼泽地上填土，高出平均海平面 2~3m，开挖排水沟渠降低地下水位以便农业耕种。地下水位下降确实使泥炭层和黏土层下沉。另外，泥炭也被氧化。地面下沉迫使人们再次深挖沟渠降低地下水位，以保持陆地继续耕种。这样导致了地面进一步下沉。需要长期降低地下水位引起了一个不可逆过程。这一过程仍在继续，永不停止。

大约公元 1100 年，地壳下沉增加，使得濒海大片地区在高潮位时被淹没。除了人为因素造成下沉外，自然海平面上升也加重了排水问题。普遍的影响迫使居民及时采取增加面积的缓解措施。挖渠筑坝、人工排水造埝、围垦湖泊、修建蓄水渠大规模排水和堵塞河口的逐步反应见图 9-1。此图是了解莱茵河三角洲发展情况的关键。

3 局部和区域防洪及水管理

第一批堤坝建于 11 世纪，局部保护了堤防区域不受外部高水位影响。在西北欧，尤其在冬季，降雨量超过蒸发量。为防止堤防区域内出现高水位，过剩的水要在低潮时通过排水口排出（图 9-1 中步骤 2）。

13 世纪，通过封闭横断泥炭和黏土区潮沟和进水口的堤坝将地方堤防连接起来。许多城镇名字仍使人们想起这些事件，例如，城市阿姆斯特丹和鹿特丹都是大约 700 年前在小潮汐河阿姆斯特（Amstel）和鹿特 (Rotte) 的堤坝和水闸附近发展起来的（图 9-1 中步骤 3）。

无法阻止地壳下沉和海平面上升。堤坝后的地面沉降，低于平均海平面；堤防区多余的水受到阻碍，已不可能靠重力排放。在堤防和截流坝后面开始修建小范围的围堤。多余的水从这些小的内部围堤（也叫围圩）人工排出，并引入以前的潮汐河（图 9-1 中步骤 4）。低潮时通过水

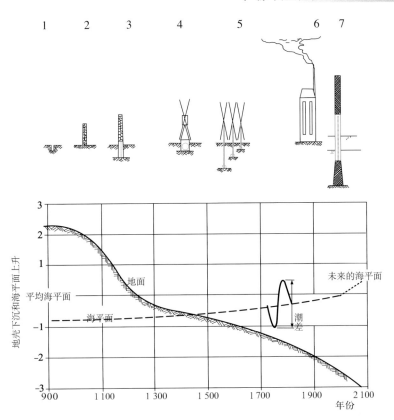

图 9-1　荷兰地壳不断下沉与海平面上升的逐步反应

闸从这一水道排水入截流坝。在高水位期间，以前的河流过去和现在都
作为储水池（被称为蓄水渠）使用。这种梯级排水系统在荷兰是很典型
的。最初的人工排水工具是手动和马拉碾磨机，排水能力很有限。幸运
的是可以利用风车人工排水了。旋转顶部的发明使得风车翼板随风旋转，
这对于三角洲生存和发展至关重要。

　　16 世纪，排水技术可以改造池塘和小湖泊。方法是围绕湖泊或池塘
挖一条沟渠，用开挖沟渠得到的土地在沟渠两侧建围圩。风车排干围圩。
有时需要安置一系列风车，克服以前的潮汐河和新围圩之间的水位差(高
达 6m)（图 9-1 中步骤 5）。

　　17 世纪初，通过贸易发财的阿姆斯特丹商人寻找投资项目。他们投
资新围圩以扩大城市北部的农业区。那时，由于荷兰阿姆斯特丹和其他
城镇的强劲发展，对农业产品需求较高。部分原因是许多难民到荷兰来

143

定居。大面积区域已被及时开垦，共计60万 hm²。工业化创造了新的排水方法，蒸汽泵站代替风车进行大面积围圩排水，也可以对蓄水渠进行人工排水（图9-1中步骤6）。

4 三角洲支流的管理

对莱茵河和默兹河支流沿岸地区的系统干扰比对沿海区域的干扰大约晚一个世纪。起初生活在分水岭和河岸上的人开始利用三角洲支流之间的低地进行农业生产。陆地排水造成黏土层下沉。为保护这一区域免遭洪水侵袭，居民开始筑堤。正如北海沿岸，无法逆转的下沉进程继续降低陆地。

16世纪和17世纪，夏季不规则河道和人们对冬季河床无节制的干扰都极大地妨碍了安全排水和排冰，导致堤坝破裂和淹没。尤其在莱茵河和三角洲支流分汊口以及默兹河与 Waal 河的汇合处存在这些问题。

由于复杂的体制问题，花了大约两个世纪时间才迎来了第一次大规模的改进。16世纪和17世纪，荷兰是一个由7个主权国家组成的联邦。经过长期的谈判，其中4个国家于1707年同意采取一致的办法。改进莱茵河分汊点水量不平衡分布的河流工程于1707年开始动工（图9-2）。随着时间的推移，尤其是1795年荷兰成为一个统一国家后，国家水管理当局（Rijkswaterstaat）实施了许多水利工程以改善排水、排冰和通航条件。莱茵河支流 Waal 河与默兹河分别在1875年和1904年获得了新的更短的入海路线。在1930～1940年期间，下默兹河排水能力的提高防止了大面积地区遭受洪水侵袭，为's-Hertogenbosch 周围不发达地区创造了更好的条件。

5 水管理委员会——人类参与的杰出典范

这个国家的居民积极开垦和保护土地，防止高水位。他们负责修建和维护堤坝、峡沟和排水沟。由于堤坝的强度取决于它的最弱点，而个体土地所有者对堤坝的检查结果是不可信的，因此必须呈交给一个共同的评判机构。由地方社团执行检查。

所应用的检查规则很严格。如果一个土地所有者不能履行维护属于他那部分堤坝的义务，那么他就把铁锹插入堤坝以表明这一事实。社团强迫他永远离开他的财产。为了填补防洪空缺，7户相邻的农民聚到一

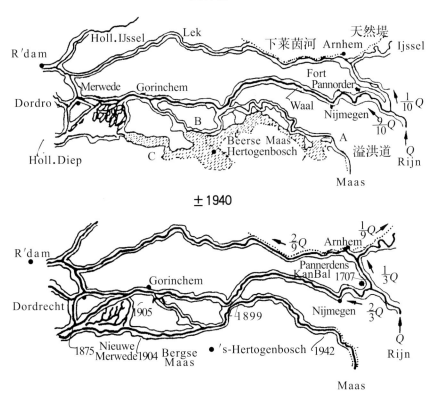

图 9-2　1700 年以来对莱茵河和默兹河支流的整治

起, 根据地方社团制定的规则选出一个新的能维护堤坝的农民。

13 世纪, 通过在进潮口和小河上筑坝将地方堤防连接起来。堤坝后面的排水区经常围起许多郡、教区和村庄。人们很快就认识到水闸和堤坝的维护不可能由单个的土地所有者来完成, 检查也不可能由地方社团来执行。于是, 召开地区会议来讨论共同问题和利益。有关郡和教区开始选举代表参加这些会议。这些会议和有关社团的人力和财力参与水管理和堤坝维护活动促使了水管理委员会的产生。水管理委员会也检查堤坝和水闸, 成为负责水管理和防洪的行政当局。如今, 水管理委员会也负责生活和工业废水处理。对于防洪和废水处理等公共事业必须收税。税收与收益大小成比例, 因此取决于被保护的土地和建筑物价值以及产生的废水量。该当局的选举体制是基于不同利益类别的财政贡献。

莱茵河—默兹河三角洲不同区域的统治者很快就承认水管理委员会为水主管当局。由于水管理委员会是建立在自愿原则基础上的，这些组织被看做是荷兰最早的民主机构。

6　面临洪水和海水威胁，脆弱性增加

围圩地表继续下沉和海平面上升导致脆弱性增加，因为大约25%的荷兰国土现在处于平均海平面以下（高达6.7m）。如果没有堤坝，每天有65%的面积被洪水淹没。这一状况使荷兰面对风暴潮和河流洪水显得很脆弱。

在风暴潮高水位和河流最大流量情况下，堤坝崩溃，会淹没大面积地区。当风暴潮和洪水结束时，在很多国家不需要人工帮助就可以自动排水，因为陆地高于海平面和河流水位。如果荷兰西部的堤坝或沙丘倒塌，那么大面积区域会被淹没并处于水下，只有修好堤坝进行人工排水。一次灾难性的事件后，有些地区有时会被淹没很多年或永远在水下。在过去10个世纪，荷兰历史的主要特征就是洪灾、修补工程和土地开垦。预期海平面加速上升会增加三角洲的脆弱性。

但是生活在海平面以下还有另一方面的脆弱性。图9-3说明了这方面脆弱性。由于围圩内外水位的差异，围圩内会出现向上的渗流。渗流流

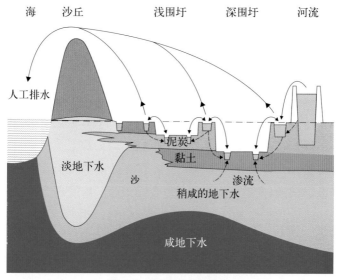

图9-3　围圩排水和冲洗

速取决于水压面差异和水流在隔水层遇到的阻力。因为沉积物源于大海，所以地下水有咸味。为避免土壤盐渍化、为农业与园艺业创造良好条件，利用过剩的降雨将渗出的咸水冲入大海，而在干旱期则主要使用莱茵河水将渗出的咸水冲入大海。这就是荷兰对莱茵河水氯化物含量不断增加反应敏感的原因所在。

7 自然灾害促使防洪和水管理的加强

图 9-4(a)显示了 20 世纪初的荷兰。在中心海湾，即 Zuyder 海，风暴潮导致了许多水灾。1916 年的洪灾最终促进了长期渴望计划的实现，即封闭和部分改造 Zuyder 海。实现该计划有 4 个理由：防洪、防盐渍化、

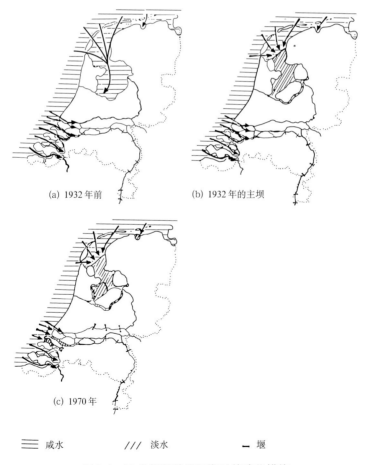

(a) 1932 年前　　　　(b) 1932 年的主坝

(c) 1970 年

≡ 咸水　　　/// 淡水　　　— 堰

图 9-4　20 世纪预防风暴潮及盐渍化措施

干旱期供水和提高粮食产量。

1932年建成了带有水闸的截流坝，形成了IJssel湖（图9-4(b)）。IJssel河是向北流淌的莱茵河支流，为IJssel湖提供水源。由于IJssel河的流经，IJssel湖变成了淡水水库，在干旱期为荷兰北部供应淡水，在丰水期则通过水闸把多余的水排入大海。

通过建造四块围圩，部分IJssel湖被围垦为富饶的农田（图9-4(c)）。因为旧区人口膨胀，在最后一块围圩(南Flevoland)上兴建了一些新镇，特别是阿姆斯特丹。剩余湖泊的水位变化有20cm，形成了一个5亿 m^3 的淡水水库。除了为荷兰北部和西北部供水外，该湖也在丰水期容纳这些地区的过剩水。

荷兰西南河口区有岛屿，周围有暴风雨形成的深河口，Scheldt河、默兹河和90%的莱茵河注入此处。1953年2月，风暴潮造成了900多处堤防决口，洪水大面积泛滥，许多人和家畜被淹。该风暴潮为推动三角洲工程（在西南部河口区筑坝）发挥了决定性作用（图9-5）。由于鹿特丹水道和西Scheldt河是鹿特丹港和安特卫普港的重要入口，最初它们被排除在此方案之外。通过堤防加固，保障这些水道沿岸的安全。

已经对三角洲计划作了两处主要修改。根据原计划，东Scheldt河要被荷兰最大的大坝之一封堵。为了环保，1975年决定建造风暴潮屏坝，这样在很大程度上不改变潮汐运动，但在风暴潮期间能封闭。

1987年，鹿特丹港的迅速发展证明了必须在鹿特丹水道建造风暴潮屏障。与20世纪50年代采取的措施相比，1975年鹿特丹最深的港口具有自由入海的通道。

三角洲工程的主要特征包括5个主要组成部分：鹿特丹水道屏障(1998年)、Hartel屏障（1997年）、Haringvliet坝(1970年)、Brouwers坝(1972年)和东Scheldt河屏障(1986年)。最后一项工程最昂贵，耗资大约80亿荷兰盾(约45亿美元)。

Volkerak坝（1970年）分隔了北三角洲流域和东Scheldt河。北部流域对全国水管理很重要。为了不增加东Scheldt河潮流，必须用Grevelingen坝(1965年)封闭Brouwersdam。菲利普斯（Philips）坝(1987年)和牡蛎（Oyster）坝(1986年)在南部咸水系中创造了淡水流域"Zoommeer"。后两坝将增强安特卫普—莱茵河航道的航行安全。按照航运和水管理的要求，这些堤坝都具有船闸和水闸。

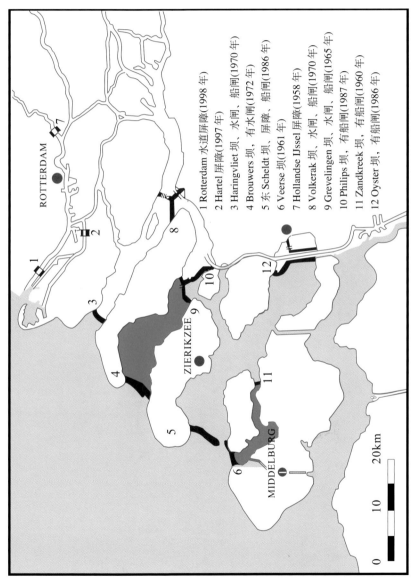

1 Rotterdam 水道屏障(1998 年)
2 Hartel 屏障(1997 年)
3 Haringvliet 坝，水闸，船闸(1970 年)
4 Brouwers 坝，有水闸(1972 年)
5 东 Scheldt 坝，屏障，船闸(1986 年)
6 Veerse 坝(1961 年)
7 Hollandse IJssel 屏障(1958 年)
8 Volkerak 坝，水闸，船闸(1970 年)
9 Grevelingen 坝，水闸，船闸(1965 年)
10 Philips 坝，有船闸(1987 年)
11 Zandkreek 坝，有船闸(1960 年)
12 Oyster 坝，有船闸(1986 年)

图 9-5　三角洲工程

莱茵河和默兹河流入北三角洲流域。Haringvliet坝带有水闸，防止高潮时海水入侵，并且能将多余的淡水排入大海。在正常和小流量情况下，水闸通过引导部分或所有河水流入鹿特丹水道来控制水位。这制约了海水入侵，并且改善了北三角洲流域的淡水平衡。

由于荷兰西南部淡水条件的改善，保证了在干旱期向该国北部和西北部供应大量淡水。在下莱茵河开凿运河，实现了西水北调，调入IJssel湖。位于Driel的最上游堰是能够在正常期和干旱期控制主要水系的主阀门。主系统的其他组成部分有阿姆斯特丹—莱茵河运河／北海运河的水闸、Haringvliet坝、截流坝（Afsluitdijk）和IJmuiden泵站。区域和地方水管理工程可以把莱茵河水引入荷兰的很多地方（图9-6）。

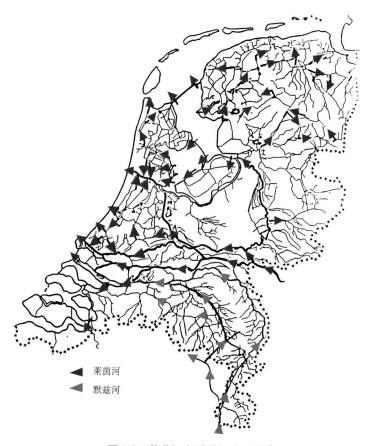

▲ 莱茵河
▲ 默兹河

图9-6 莱茵河和默兹河水系分布

8　污染问题促进国际合作

前面有一段描述了面对洪水和海水入侵围圩的脆弱性。许多围圩位于平均海平面以下。必须用多余的降雨冲洗聚集在沟渠和运河里的含盐渗流，在干旱期主要用莱茵河水冲洗。莱茵河水天然含盐量低，非常适合这一用途，并且在1900年以前河水氯化物含量仅为10～20mg/L。工业革命造成了莱茵河流域含盐量的猛烈增长，这是由荷兰上游国家的工业和矿业所导致的。1932年，荷兰政府首先采取外交途径，试图阻止不断增长的氯化物含量和其他活动对莱茵河水的污染。然而，这一努力徒劳。

二战后，工业活动猛烈增长。大量未经处理的废水严重污染了莱茵河水。1946年，荷兰再次试图同其他莱茵河沿岸国家协商，解决污染问题。直到1950年，莱茵河沿岸各国，即德意志联邦共和国、法国、卢森堡、荷兰和瑞士，才成立了保护莱茵河国际委员会（ICPR）。1963年的伯尔尼（Berne）公约奠定了ICPR的法律基础。自1953年起，ICPR调查了污染的类型和数量。为此，ICPR开发了通用测量和分析方法。

然而，ICPR的协商并未产生解决污染问题的具体方案。有机和无机污染物的数量仍在增加。危险物质、营养物质和热辐射也未经净化或其他预防措施而排放。莱茵河水质继续恶化。1971年秋，污染影响达到了最严重程度。当时，莱茵河下游河段的河水缺氧，并且意外事故造成有毒化学物质污染河水。莱茵河遭到极大的损害，水生生物消失了。新闻媒体和公众开始称莱茵河为欧洲的"露天下水道"。

受1971年"垂死的莱茵河"的震撼以及公众舆论的压力，ICPR的各国部长于1972年在海牙第一次会晤。他们委托ICPR精心起草防止化学污染和氯化物污染公约。他们还请求ICPR起草长期工作计划，以减少所有污染源（到1985年止）。1976年，部长们通过了有关公约和工作计划，为污染防治作了具体安排。因为瑞士不是欧盟成员国，所以欧盟必须遵循ICPR的规定和工作计划。莱茵河流域国家的公开承诺是富有成效的，实施了处理工业与城市废水的卫生措施。经过1971年的洗礼后，污染量下降，并且莱茵河水质得到了改善。

9　淤泥污染威胁三角洲和北海

沙和淤泥沉淀在荷兰的死水域。几个世纪以来，疏浚的沙和淤泥被用来填高陆地，由于含有营养成分也用做天然肥料。所疏浚的物质是一种所需产物。为了保证鹿特丹港足够的航运水深，从鹿特丹水道疏浚的大量淤泥没有质量许可就被倾入北海。现在情况已经不同了。20世纪70年代后期，疏浚物质用于新住宅区和农业区，危险物质严重污染了农作物。当局忠告人们食用自家菜园的蔬菜会有健康风险，所以没有人愿意接纳为了航行和其他原因而疏浚港口和水道的物质。被污染河床的淤泥是谁都不想要的历史遗产。

作为避免对海洋环境产生不可逆影响的第一步，1985年荷兰政府决定停止向北海倾倒被污染的淤泥。被污染淤泥必须受控贮存。为此，在荷兰海岸的前面建了一个人工岛屿，该工程耗资巨大且存储量有限（到2002年）。届时，疏浚淤泥的质量必须达标，对环境没有影响，才允许倾入大海或在陆地上使用。为了清除污染淤泥使河床符合卫生要求，荷兰政府欲在内陆建立淤泥倾倒场，并且激励淤泥处理的开发。

20世纪80年代，荷兰第一次在国际论坛上介绍这个问题，并且指出大部分淤泥是从国外输入的，恳求采取进一步措施来减少污染。荷兰人的要求暗示着不仅必须净化水体，而且应该努力改善淤泥质量。这是个花钱较多的问题。荷兰还要求不仅在流域范围内考虑污染问题，而且要兼顾接纳污染的海洋环境问题。接纳污染的北海有它自己影响污染模式的特性。图9-7说明了北海水沙运动。受潮汐影响，沿荷兰海岸形成了一股自南向北的水流，将污染细颗粒从Scheldt河、默兹河和莱茵河转移到德国Bight。从东英格兰到德国Bight的潮流也携带污染物质到德国Bight。当然，Weser河和易北河也造成了这一区域的水质问题。该区域氧气不足、鱼患病、海豹死亡率高。1984年，德意志联邦共和国促使了保护北海的第一次部长会议召开。

一场灾难再次推动了这种状况的改善。1986年巴塞尔一家化工厂的仓库失火了。消防水被杀虫剂严重污染。毒水排入莱茵河，有毒水波向下游扩散，杀死了许多有机体。这场火灾促使莱茵河沿岸国家的部长们召开了几次会议。除了采取防止此类事故再次发生的措施外，部长们通过了新的保护莱茵河和北海的长期目标。

ICPR在"莱茵河行动计划"（RAP）中提出了实现这些目标的建议。1987年莱茵河沿岸国家通过了RAP，一致承诺进一步降低污染和恢复莱茵河生态系统。1989年北海沿岸国家采取了相似的方法。污染正在降低。

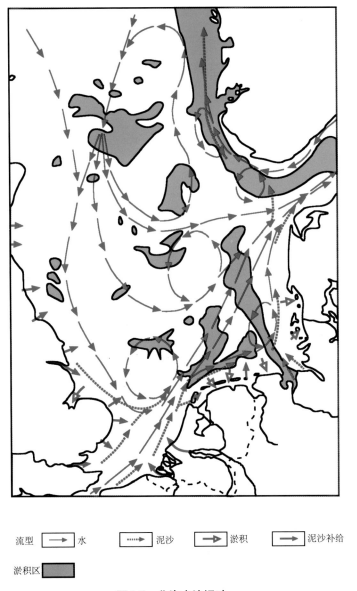

流型 ——→ 水　　┈┈▶ 泥沙　　⊏▶ 淤积　　——→ 泥沙补给

淤积区 ▨

图 9-7　北海水沙运动

尽管目前水质和淤泥污染明显改善，但是必须为过去1.25亿 m³ 严重污染河床找到解决方法。淤泥清除费用达数十亿荷兰盾。荷兰政府试图寻找场所来贮存这些被污染的淤泥。这是一件困难的事情，因为法律和行政法规都禁止快速决策。另外，没有人愿意被污染的淤泥堆积在自家"后院"。在人口密集的荷兰，实际上每一场所都是某人的后院。这就解释了改善污染河床的卫生状况为什么这么慢。

恢复莱茵河生态系统的进展较快，尤其采纳了加速自然发展的措施后。下莱茵河和默兹河上的堰都有鱼道，以便鱼类的迁徙和产卵。IJssel湖主坝水闸的泄水情况符合鱼类迁徙要求。为了改善迁徙鱼类进入北三角洲流域的通道，国家水管理当局就打开 Haringvliet 坝的水闸、对该流域受有限潮汐影响的可能性进行了调查。由于海水入侵，要求谨慎决策。海水的渗入可能会影响农业生产和饮用水源。1996年3月进行了实地调查，为有关可能性和局限性的数学模型研究成果提供了更多的附加答案。

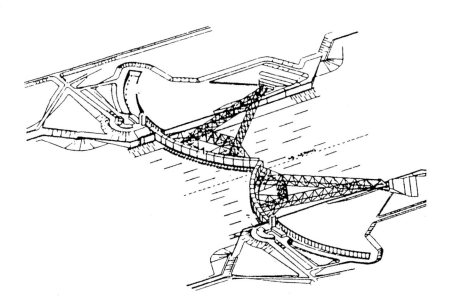

图 9-8　鹿特丹水道的风暴潮屏障

图 9-9　鹿特丹水道的风暴潮屏障与巴黎埃菲尔铁塔的比较

图 9-10　下莱茵河 Driel 堰，为国家级水利服务主阀。
该堰将水引入荷兰北部或导流到西部

图 9-11 32km 长的主坝（Afsluitdijk）分隔了 Wadden 海与 IJssel 淡水湖。最显著位置的船闸和水闸控制着西侧的情况。这些水闸和主坝东侧水闸限定了湖泊水位

图 9-12 Haringvliet 闸门起到风暴潮屏障的作用，为调节北三角洲流域水量的装置。当莱茵河流量大于 1 750m³/s 时，闸门停止使用；当莱茵河流量大于 9 500m³/s 时，闸门完全打开

图9-13　位于海岸前的巨型淤泥贮存地，贮存来自港口和航道的污染淤泥，
目的是减少对北海的污染

参考文献

1　H. J. Colenbrander (editor): Water in the Netherlands, TNO-Research no.
　　37, The Hague, ISBN 90-6743-094-3
2　G. P. van de Ven (editor) (1993): Man-made lowlands, Stichting Matrijs,
　　Utrecht, The Netherlands, ISBN 90-5345-030-0

第十章　河势演变

1　引言

许多世纪以来，人类活动造成的影响日益增强，在莱茵河及其流域留下了痕迹。人类影响使莱茵河流域由自然状况发展为中欧人造地形中广为开发的部分。河流的功用得到了极大开发，周围的生存环境得到了巨大改善。当然，预期进展对自然造成了负面影响，但并没有因为这些问题而停止。

这导致了激烈的争论：一些人认为总体上人类对自然的干预活动是正当的，另一些人则指责人类干预活动恶化了自然环境。显然，这些观点没有全面反映人为变化情况。对于莱茵河而言，人们仅仅部分考虑了人类干预活动的原因与结果，而基本忽视了社会需求这一效率象征因素。然而，社会需求对于评估目前状况及有关未来措施的决策是十分必要的基础。

有证据表明，甚至在1 800年前的罗马时代，就已经在莱茵河及其支流上修建了河道工程。它们主要服务于航运。由于当时绝大多数公路状况很差，所以航运是极为重要的交通方式。

在11～16世纪的中世纪，大规模的森林采伐、气候变化和人口增长，必然增加了对莱茵河及其河岸地形的干预活动。修建了最早的拉纤道并且实施了改道工程，但是这些工程并不总是成功的。沿河还修建了防洪、排水和灌溉等工程。

应该对许多先进措施进行专门介绍。

2　巴塞尔上游的莱茵河流域——瑞士

在阿尔卑斯山区，频繁的洪水淹没、大量的泥沙淤积及河道的反复

作者：Horst Gerhard，德国Hessian环保局。

变迁威胁着生活在峡谷区的居民。人们采用了很多独立的措施来保护自己，后来还兴建了大规模、有计划的河道工程。瑞士莱茵河沿岸的州达成了关于治理阿尔卑斯莱茵河的协议。该段莱茵河河床变得稳定、规则。

以前，该段莱茵河有多条泄水口汇入康斯坦茨湖，状如扇形。治理后，泄水口已减少为一条且汇入康斯坦茨湖的深水区（图10-1）。所以湖岸土地不再增长。

图10-1　高莱茵河汇入康斯坦茨湖鸟瞰图

早在19世纪，Aare流域的Linth河改道汇入Walensee，解除了当地的洪水危险。50年后，开始在阿尔卑斯莱茵河的最大支流Aare河上全面兴建水利工程，目的是调平流量，减少泥沙及悬移质输送，这些工程措施以Jura河河道整治而闻名。

首先，Aare河上游改道流经Biel湖。然后，治理与Neuchatel湖和Murten湖相连的水道，并在Aare河下游修建围堰和河道整治工程。因此，这些湖泊可以作为一个整体进行蓄水调节。20世纪中期，根据积累的经验全部完成了河道整治。

为了发电，开始修建大量有影响的大坝。自1872年第一座Pérolle大坝（21m高）修建后，特别是19世纪下半叶，很多大坝接踵而起。巴塞尔上游水库总库容超过20亿m³。这些水库不仅调平流量发电，而且同阿尔卑斯山周边的湖泊一起削弱洪水，这些湖泊部分采用了围堰整治。这些措施对莱茵河下游产生了非常明显的有利影响（图10-2）。

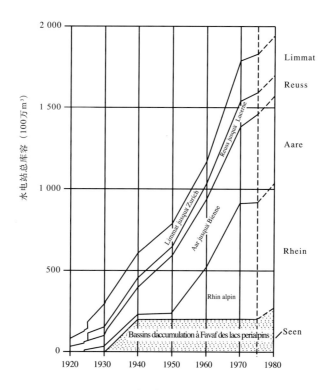

图10-2　瑞士境内水电站总库容

3　上莱茵河

巴塞尔博物馆有一幅名画，画中展现了巴塞尔附近莱茵河分汊的自然区(图10-3)。如今这里是一条高速公路。

图10-3　1810年巴塞尔附近的莱茵河风景

在自然状态下，上莱茵河自源头到斯特拉斯堡有很多不断变化的汊道。其下游河段的水流沿弯曲河道流淌。河道的不断摆动和大量沼泽地的发展使得对莱茵河河谷的开发利用极为困难和危险。这里流行害虫瘟疫、伤寒及疟疾。莱茵河附近的建筑经常被洪水冲垮。洪水导致大堤溃决后，有些建筑被冲至对岸。当时的河道仅适宜小船行驶，且航行十分困难。

图10-4展示了1828年、1872年和1963年斯特拉斯堡附近的上莱茵河。

1828年，河流分汊区没有受到较大的人类影响。莱茵河为法兰西王国的国界线。

1872年，工程师图拉因其在上莱茵河整治中取得的成就而闻名，对莱茵河自然河床进行了整治。他起草了一个将上莱茵河河床整治为规则、稳定的河床计划，并开始实施该计划。起初他遭到了沿岸人民的反对，直到当地人民认识到河道整治将给他们带来利益时，他们才给予支持。

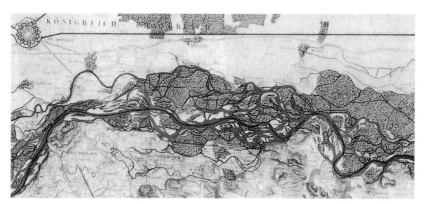

1828

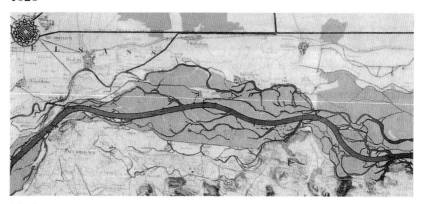

1872

1963

图 10-4　1828 年、1872 年和 1963 年斯特拉斯堡附近的上莱茵河

1963 年，该图展示了现在的情形。德国在第一次世界大战中战败。法兰西共和国趁机将修建水电站列入《凡尔赛条约》（1919 年）。

自瑞士向莱茵河下游有 280km 长的河段得到了整治。由于实施了大量的裁弯工程，所以河道长度缩短了 37%。大规模的堤防建设实质性地提高了河谷防洪能力。早在 19 世纪上半叶，上游河段冲刷很深，这对防洪十分有益。但是降低了地下水位，航运更加困难。"河道修正措施"和相关建设措施引起了这些后果，而当时只能预测部分后果。

Worms 下游天然河道上的整治工程仍在继续。至 19 世纪末，当该地区的国界争端问题解决后，河道整治工程才得以彻底实施。整治后，没有改变具有宽阔水面的 Main 汇流区下游河谷的特性。

上莱茵河河道整治的第一阶段为稳定河槽、改善航运条件和提高防洪能力。但是，由于自然条件较差，第一阶段的河道整治工程并未取得完全成功。1900 年后，必须对上游河段重新进行系统的河道整治工程，尤其是建筑丁坝以抬高枯水位。对下游河段也进行了类似的调整。随后采取了各种独立措施，一直延续到现在。

1950 年以后人类干预上莱茵河的活动更强烈。为了利用水能、向大型船只提供安全航道，修建了 10 座堰。上段的 4 座堰位于 Kembs 和 Vogelgruen 之间莱茵河左侧支渠上。10 座水电站多年平均总发电能力为 45 亿 kW·h。由于堰影响了泥沙输送，所以自莱茵河最后一道位于伊费茨海姆堰的下游系统地补充河床砾石，从而保持与相邻河床平衡。

自 Karlsruhe 地区的莱茵河上游，由于堰的运行，失去了 60% 的在洪水期自然淹没的滩区，即 130km²。这加快了洪水流速，提高了洪峰流量。为了消除对下游沿岸造成的危险，计划兴建总容量为 2.2 亿 m³ 的滞洪区。这样，在 Breisach 和斯特拉斯堡地区的莱茵河上游河段的水电站和两座农用堰渠道附近暂时将水蓄起来。这些堰还可以维持高滩区适当的地下水位。除了上述滞洪措施外，还必须有 1.3 亿 m³ 滞洪能力的滞洪水库。尽管在初期仅利用一小部分库容，但是为了防止洪峰上升至 200 年一遇洪水位，即设计洪水位，所以需要这么大的总滞洪容量。

图 10-5 为 1882 年年底和 1883 年年初的洪水过程线。这场洪水是该地区 200 年来最大的一场洪水。所有的堤防都被冲垮。对洪水过程进行计算表明，在同样的气象条件下，如今会再次发生这样的大洪水，那么

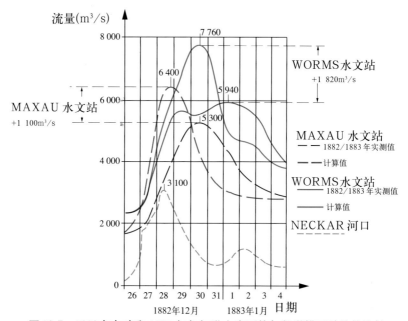

图 10-5　1882 年年底和 1883 年年初洪水实测值与数学模型计算值比较

Worms水位站洪峰流量将达到 7 760m³/s，这意味着洪水位要高出 2m。

4　中莱茵河和下莱茵河

　　中莱茵河自宾根(Bingen)流经莱茵河板岩山区至波恩，河床大多为岩石。该河段的一些障碍物对航运构成危险，曾经夺去了许多生命。已经利用堰坝和带有水闸的水电站对大支流进行了治理。

　　由于地势原因，中莱茵河的防洪措施及土地耕种显得不太重要；而对于下莱茵河来说却最为重要。必须对下莱茵河各河段进行整治，沿两岸修建或延长堤防，并且要采取许多其他水管理措施，以满足莱茵河沿岸最大、人口最稠密的工业区要求。

　　图 10-6 为 1988 年科隆地区的莱茵河，那里修建了移动式防洪墙。在洪峰流量时，洪水位与防洪墙头高度相差 3cm。

　　1908 年后，必须解决一个特殊问题，即河床持续下沉的问题。河床最大沉降深度达 2.5m，必须重新考虑当地防洪的问题。河床下沉也对航运、地下水位、生态产生了不良影响。主要是煤矿和盐矿开采造成的土地沉降，还有其他原因，尤其是采集河床卵石。因此，立即停止了这些活动。人们尝试着利用河道工程措施来遏制这种沉降，近期已经止住了沉降。另外，不得不几次加高部分主要堤防。

除了出于经济原因修建水利工程外，还在下莱茵河实施了大量的美化自然措施，为水上娱乐提供了便利。例如，大型开挖坑变成了水上运动

图10-6　1988年科隆地区的移动式防洪墙

公园。系统地加强了防洪，在德荷边界地区，两国合作保证了防洪安全。

5 荷兰境内的莱茵河流域

与莱茵河流域的其他任何国家都不同，荷兰依赖于综合的、有计划的水管理体系。荷兰大部分地面低于河流的高水位或北海风暴潮的潮位。莱茵河三角洲三条支流的情况均是如此。

早在中世纪和现代初期，荷兰就修建了庞大的防洪和排水体系，它们在19世纪和20世纪不断地得到补充和完善。该体系的最初目标是通过侧向导流将洪峰流量减少至没有危害的程度。事实证明，这种做法是失败的，于是人们将精力转向增加河道的排洪能力、利用冬堤保护整个腹地。自20世纪20年代，荷兰将重点转移到北海海岸工程建设上。在河口地区修建了高坝。淡水界限被推向海岸线。

除了控制河流的措施外，还兴建了运河和船闸以改善航运条件。在荷兰大部分地区，都可以精确地控制地下水位。饮用水源来自莱茵河和透过沿海沙丘带的其他水源，然后对这些水源进行处理。

Nederrijn河上的措施包括修建Oude Rijn坝和通过可控措施将莱茵河水向主要支流分配。莱茵河主要支流Waal河作为最大水道和主要航运线路依然十分重要。Nederrijn河被渠化，可以进行三级蓄水。最上游的Driel蓄水堰的重要功能是给莱茵河支流分水。低流量时，分配给Nederrijn河的水最少。与其他建议相反，IJssel河上则没有修建一座蓄水堰。在几次开发阶段，它发挥了高效航运通道的作用，在洪水期保留足够的库容，为荷兰西北部和北部需水的地区提供莱茵河淡水，部分淡水通过IJssel湖提供。

第二次世界大战破坏的海堤修复后，在鹿特丹西南修建了第一座新的防洪工程——Briel Maas坝。1953年2月1日发生洪灾，造成1 800多人死亡。洪水推动实施了以前被认为不适宜的大规模措施。这些措施被纳入了"三角洲计划"并被付诸实施。北海湾及河口区巨大的阻水建筑从鹿特丹西南延伸至海岸附近。出于生态和经济原因，在正常海潮下打开一座坝，其他坝则关闭。淡水界限则经过较长的路线被推向大坝控制区的北部。

最近，荷兰海岸、河流及腹地上分散的水利工程通过有组织地保护具有特殊生态价值坝址的工程而得以丰富完善。作为一个整体，它们形成了荷兰的地域特征。由于精密的水管理，该国人民获得并保持了高质量的生活水平。

6　展望

　　为了满足人民和工业的需要，莱茵河由一个无法控制的、经常造成破坏的天然河道被改造成为人类开垦和开发的陆地极为重要的航运干道。尽管有许多外来侵扰，它仍然保留了其文化财产特色。在莱茵河流域，人们付出了巨大的努力，尽可能地恢复失去的或遭受破坏的自然资源。

　　为了保持已经取得的成就和进一步发展，将来还要进行工程建设。水流循环不会停止，社会发展亦如此。已经开始了新的水利工程和管理项目，如将人工滞洪措施纳入综合控制体系。下莱茵河左岸还将存在一个问题，即德国境内露天开采褐煤留下的巨大孔洞，一旦采煤结束必须立即用莱茵河水充填。为了进一步改善莱茵河水质，将在许多国家采取水净化措施。

　　目前，事实已证明：可以提高莱茵河的经济价值，并保持其灿烂文化。人们可以相信将来也是这样。莱茵河流经的国家正在联合行动，形成合作体，共同面对这一挑战。

参考文献

1　Internationale Kommission für die Hydrologie des Rheingebietes (ed.)(1993): Der Rhein unter der Einwirkung des Menschen - Ausbau, Schiffahrt,Wasserwirtschaft; Bericht Nr. I-11 der KHR, Lelystad

第十一章　莱茵河综合计划
—— Baden 州防洪与洪泛区恢复

1　出发点

　　《凡尔赛条约》规定：第二次世界大战结束后，法国有权从上莱茵河取水，并通过莱茵河渠化开发水力发电。1929~1959 年，法国在 Märkt 和 Breisach 之间的莱茵河段开挖了莱茵河边渠，修建了 Kembs、Ottmarsheim、Fessenheim 和 Vogelgrün 拦河坝。1959~1970 年，利用位于 Marckolsheim、Rhinau、Gerstheim 和 Straβburg 的拦河坝，在 Breisach 和 Straβburg 之间的上莱茵河上修建了 4 条环形渠道。直到 1977 年，在莱茵河干流上修建了迄今为止的最后两个拦河坝，即加姆布斯海姆和伊费茨海姆拦河坝（图 11-1）。

　　建造这些拦河坝的直接后果是原有的洪泛区面积减少了 60%，即 130km²，并且坝下游发生洪水的危险大大增加。除洪泛区消失导致莱茵河洪峰增高外，河道渠化后莱茵河泄洪加快，再与支流遭遇叠加，增加了洪水的危险性。

　　莱茵河洪水调查国际委员会(Hochwasser-Studienkommission für den Rhein)（成立于 1968 年）对上莱茵河渠化所产生的影响进行了调查，得出如下结论："拦河坝修建以前，Karlsruhe 地区和 Mannheim/Ludwigshafen 地区的防洪标准分别是 200 年一遇和 220 年一遇，相应的 Maxau 和 Worms 水位站的流量分别是 5 000m³/s 和 6 000m³/s。拦河坝修建以后，据统计：现在平均每隔 60 年就出现一次这样大的流量。在目前情况下，如果不采取以往的滞洪措施，当发生 200 年一遇洪水时，

作者：Gert Klaiber, Oberrheinagentur, Lotzbeckstraβe 12, 77933 Lahr.

图 11-1　上莱茵河沿岸拦河坝平面图

Maxau 和 Worms 两站的流量将分别达到 5 700m³/s 和 6 800m³/s。而
Maxau 和 Worms 水位站的泄洪能力分别只有 5 000m³/s 和 6 000m³/s，
所以经常出现堤防溃口，造成很大损失。"

因此，上莱茵河防洪措施的目的就是在出现险情时将 Maxau 和
Worms 两站的流量分别削减 700m³/s 和 800m³/s（表 11-1）。

2　上莱茵河沿岸目前的洪水危险

如今，由于莱茵河渠化，从 Basel 到伊费茨海姆的莱茵河段均已采取

表 11-1　上莱茵河渠化后 Karlsruhe/Maxau 和 Worms 水位站最大流量的变化情况

项目	Karlsruhe/Maxau 水位站的流量	Worms 水位站的流量
莱茵河河床的泄洪能力（渠化前）	5 000m³/s（200 年一遇）	6 000m³/s（220 年一遇）
200 年或 220 年一遇的泄量（渠化前的 1955 年）	5 000m³/s	6 000m³/s
200 年或 220 年一遇的泄量（渠化后的 1977 年）	5 700m³/s	6 800m³/s
洪峰流量的增加值	700m³/s	800m³/s

了防洪措施。从伊费茨海姆北部边缘到 Main 河口的莱茵河绝大多数河段也是如此，这是由于图拉实施了莱茵河的"修正方案"以及 19 世纪所采取的措施所造成的。现在的防洪标准只有 90～100 年一遇。1977 年莱茵河渠化完成后，大坝下游的防洪标准甚至退化为 60 年一遇。目前，该河段防洪标准的提高得益于伊费茨海姆以上的上游河段蓄滞洪区的建立。但是伊费茨海姆以下河段现有防洪措施还远没有达标。莱茵河渠化前，Karlsruhe 地区和 Neckar/Worms 河口地区的防洪标准分别是 200 年一遇和 220 年一遇。另外，在最近几十年，人们花费巨资开发利用这段莱茵河堤防背后的土地，住宅区、工业区和基础设施的建设越来越向莱茵河靠近，如今巨大的物质财富就在堤防后面。以货币计算伊费茨海姆以下的上莱茵河沿岸潜在危险损失，估计超过 100 亿德国马克。

　　由于莱茵河干堤建在自然地基上，所以加强这段莱茵河的防洪措施格外重要。一旦发生大洪水溃堤，洪水就会流入相对平坦的上莱茵河平原，造成严重的经济损失。因此，下游近邻 Baden-Württemberg 州、Rhineland-Palatinate 州和 Hessen 州要求重建渠化前的防洪安全设施。为实现该目标，1982 年德国和法国针对 Karlsruhe/Maxau 和 Worms 水位站的流量签定了有关协议。根据当时的计算，需要 2.12 亿 m³ 分蓄洪量的蓄滞洪区，其中法国的分蓄洪量为 0.56 亿 m³、Rhineland-Palatinate 州的分蓄洪量为 0.3 亿 m³、Baden-Württemberg 州的分蓄洪量为 1.26 亿 m³（表11-2）。

表 11-2　1982 年和现在的上莱茵河沿岸蓄滞洪措施

蓄滞洪区	蓄滞洪类型	分蓄洪量(100 万 m³)	
		1982 年协议	实际情况
Baden-Württemberg 州：			
Breisach 文化堰以南	堰或降低前滩	53	25.0
Breisach 文化堰			
Breisach/Burkheim	堰	10	9.3
Wyhl/Weisweil	垸	—	6.5
Elzmündung	垸	—	7.7
Ichenheim/Meißenheim	垸	—	5.3
Altenheim	垸	—	5.8
Kehl/Straßburg 文化堰	垸	18	17.6
Freistett	文化堰	37	37.0
Söllingen/Greffern	垸	—	9.0
Bellenkopf/Rappenwört	垸	8	12.0
	垸或最终退堤	—	14.0
Elisabethenwört	垸或最终退堤	—	11.9
Rheinschanzinsel	垸	—	6.2
Baden-Württemberg 州小计		126	167.3
法国：			
莱茵河水电站的特殊运行		45	45
Erstein	垸	6	7.8
Moder	垸	5	5.6
法国小计		56	58.4
Rhineland-Palatinate 州		30	30
合计		212	255.7

3 莱茵河沿岸大量蓄滞洪水的可能性

在上莱茵河沿岸，可以建堰、建垸、退堤和通过莱茵河水电站的特殊运行，分蓄洪水。

3.1 堰

莱茵河上修建了如Kehl和Breusach文化堰之类的堰，从而控制莱茵河及洪泛区上游的水位。为了分蓄洪，堰按固定原则运行。如果堰要永久蓄洪，就要事先腾空堰区，并重新恢复滞蓄；如果堰是用来自由过洪，只要建个堰即可。蓄水高度取决于堰的建设质量、闸门位置和堰内水流情况。这样，堰闸门位置的高低就会影响蓄滞洪区的水面高低。堰的蓄水量取决于堰内水流情况，但不能每次都达到最大蓄水量。对于防洪来讲，堰具有特别功效，尤其在洪峰期，可以在计划的时间内削减洪峰、充分蓄水。

3.2 垸

垸是在莱茵河旁侧建筑引水口、人工控制淹没的蓄滞洪区。垸的运行也有规定，能够有目的地削减大洪水的洪峰。垸最大蓄洪量取决于可以淹没的面积、地形（包括泄水障碍物）、入口处的莱茵河水位和入口处的过洪量。

垸的入口是建在蓄滞洪区上方还是建在莱茵河的自由断面上，与当地的水位有关，而当地的水位又取决于莱茵河的泄洪情况，所以垸的淹没程度取决于莱茵河的泄洪情况。如果垸的入口靠近拦河坝，那么不管洪水大小垸都要被淹。由于可以控制垸的使用时间和蓄水量，因此可以有目的地、高效地使用垸。

3.3 莱茵河水电站的特殊运行

沿巴塞尔和斯特拉斯堡之间渠化的莱茵河段是由几座水电站分开泄洪的，实际情况如下：巴塞尔到Breisach的莱茵河段泄洪至莱茵河边渠和莱茵河，Breisach到斯特拉斯堡的莱茵河段泄洪至莱茵河和4条环形渠道。但是，莱茵河边渠是沿着整条莱茵河修建的，而4条环形渠道只分布在莱茵河的部分河段，所以莱茵河的剩余河段也用来泄洪。带有边渠的莱茵河段通过水电站运行和防洪闸门来降低流量。

在莱茵河水电站作特殊运行时，流经水电站水渠的水量大大减少或为零，从而泄洪入莱茵河。因此，增加了Restrhein地区泄洪量，促使了莱茵河水位上涨，最终使相邻洪泛区水位增高，增加蓄滞洪区蓄洪量。由于可以有目的地控制莱茵河上水电站的特殊运行，因此防洪效果十分明显，可与堰和埝的防洪效果媲美。

3.4　退堤

退堤就是将现有的堤防向陆地方向移动，增加莱茵河自然行洪的水面。退堤只适用于伊费茨海姆以下莱茵河自由河段以及在降低以前天然淹没草地的情况下 Breisach 文化堰以南的河段。

通过退堤，蓄洪量取决于增加的淹没地面积、地形以及莱茵河每次泄洪的水位。由于洪水的不可控性，所以不能明确蓄洪量。这样只能削减整个洪水上涨段，而不能削减其中的一段。洪水波的平移造成泄洪滞后。

从生态学角度看，退堤是最好的解决方法，因为可以恢复洪水的自然动力特性，即恢复到以前状况，从而为草地的恢复提供了最佳条件。另外，这种措施需要的人工建筑物较少，也不需要任何控制措施，但是它有缺点：要达到埝或堰同样的防洪效果，占地面积较大。

4　Baden-Württemberg 州的莱茵河综合计划

4.1　基础

从防洪的广泛意义上讲，莱茵河综合计划包括莱茵河渠化前所有的洪泛区。现在前滩已经被淹没，不能成为蓄滞洪区。而由于图拉的改造，莱茵河干堤后面原来的草地（从前的洪泛区）上现在已有很多的建筑物，不再适合蓄洪。因此，莱茵河综合计划框架内所能考虑作为蓄滞洪区的面积只剩下前滩，自从图拉对莱茵河实施改造后，至少前滩时常被淹没。

有效保护自然的权利以及对环境影响进行评估的法定义务要求充分考虑洪水对自然和景观的影响，并尽可能避免损失。所以，有利于环境保护的防洪措施要求在蓄滞洪区内保护可以承受大洪水的生态系统，或者为恢复生态系统创造条件。如果这样的话，相应的莱茵河综合计划目的就是最大程度地将莱茵河畔特有的草地景观、天然的洪水泛滥与莱茵河生机紧密相联。为了恢复冲积草地，使社区适应新情况，莱茵河综合计划决定通过"生态洪水"和"蓄滞洪区过流"的方式，为重建洪泛区创造条件。另外，要尽可能恢复洪泛区特有的、经常变化的地下水位和排水造成的土壤输送。

具有生态意义的蓄滞洪区指的不是现有的或者准备重建的、植物又高又长、水能流动的冲积生物小区，也不包括留作蓄滞洪区的那些土地以及建成的所谓"小型圩垸"，而是蓄滞水位高、有一泓静水的蓄滞洪区。沿渠化端面，凡是适于反复淹没、有利于防洪的地区都必须加以利用。为了恢复蓄滞洪区，其他地区是无法利用的。

由于有了1982年协议中关于蓄滞概念的经验以及业已竣工的Altenheim垸和Kehl/Straβburg文化垸运行经验，所以在1988年莱茵河综合计划的新概念中添加了以下原则，在建的蓄滞洪区都必须执行这些原则。

- 蓄滞洪区，即原来的洪泛区，在洪水发生时可以淹没（必要的话），这意味着每隔10年、20年或30年就要淹没几米深，否则，由于那里现有的绝大多数社区已适应较干燥的环境，因而会遭受损失；
- 洪水淹没区内的社区既要发展，又要能承受较大洪水而不遭受任何损失；
- 洪泛区内社区发展要求：蓄水要有一定的自然规律，蓄水高度要适当，并且尽量避免长期成为静水区。

那些不可避免的、定期发生的洪水，也包括生态洪水，是满足恢复原有洪泛区要求的。洪水淹没始于莱茵河流量达到1 550m³/s时，因此在蓄滞洪水前要经过一段长时间。随着莱茵河洪水量上涨，从莱茵河流出的水量也相应增加，因此蓄滞洪区的淹没会尽可能与原来自然淹没状况相对应。但蓄滞洪区内的淹没水深很浅。如果莱茵河流量低于1 550m³/s，那么从莱茵河流出的水量就少了，因为根据《凡尔赛条约》规定：莱茵河水首先要保证水电站的运行。因此，根据位置的不同，当莱茵河流量达到3 000～4 200m³/s时，才开始高水位蓄水。

坚持这些原则，将增加原计划的蓄滞洪区面积。为了实现自伊费茨海姆以下的莱茵河防洪目标，结合法国和Rhineland-Palatinate州采取的防洪措施，所需的蓄洪量将大大增加（表11-2）。

在莱茵河与图拉时代的老堤防之间Baden-Württemberg州一侧所有面积以及现在要建的13个蓄滞洪区，都属于莱茵河淹没范围。

4.2 Baden-Württemberg州的蓄滞洪区

为了实现莱茵河综合计划，Baden-Württemberg州要在Basel和Mannheim之间建筑13个蓄滞洪区（图11-2）。

沿Breisach到伊费茨海姆的莱茵河段，计划建2个堰和7个可控蓄

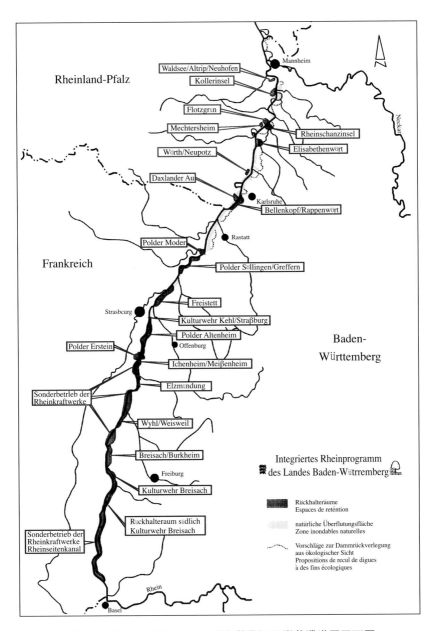

图 11-2　Baden-Württemberg 州上莱茵河沿岸蓄滞洪区平面图

滞洪区。在南方绝大多数蓄滞洪区，图拉改造莱茵河以后，莱茵河水深达7m，那里的蓄滞洪区要么是一个堰，要么降低相邻地面实施自流分洪，这与退堤的防洪效果类似。

根据Worms水位站的水深，位于下游的两个蓄滞洪区分蓄洪量不大，采取建垸或退堤措施即可，另外那里还规划了一个可控蓄滞洪区。

在Breisach和伊费茨海姆之间修建了一些拦河坝，莱茵河水位已被壅高8m，不可能再退堤。为此，除遵循上述生态原则，特别是为了生态行洪外，只能规划建堰或建垸。已建成Breisach堰和Kehl堰，这两个堰将永久蓄水，以保持一定地下水位和原有的地理文化风貌，因此它们被称为文化堰。但是目前Breisach文化堰还不能用于分蓄洪，Altenheim1号垸和2号垸已建成待用。

4.3 实施现状

1982年法国和德国签订协议，规定防洪措施中下列建设项目和措施可随时启用：

莱茵河水电站的特殊运行(法国)	45 000 000m³
Moder垸(法国)	5 600 000m³
Altenheim垸(Baden-Württemberg 州)	17 600 000m³
Kehl/Straβburg 文化堰(Baden-Württemberg 州)	12 000 000m³
	80 200 000m³

Kehl/Straβburg文化堰起初只能少量蓄水，蓄水量约为0.12亿m³。只有当陆地侧控制地下水位升高的工程措施于1998年/1999年实施后，才能达到其规划中的分蓄洪量，即0.37亿m³。采取了这些措施后，从Iffezheim到Main河口的莱茵河下游河段可以防御90～100年一遇的洪水。Baden-Württemberg州的其他3个蓄滞洪区，即Breisach文化堰、Breisach/Burkheim垸和Söllingen/Greffern垸，分蓄洪量共计0.28亿m³。Wyhl/Weisweil和Elzmündung两地的蓄滞洪区的分蓄水量约为0.13亿m³。

5 上莱茵河沿岸蓄滞洪区的作用

上莱茵河沿岸所有分蓄洪措施的运用都是为了保护Karlsruhe—Speyer—Mannheim—Worms莱茵河段，这与所达成的国际协定相吻合。通过利用上莱茵河天然行洪资料率定的大洪水模型的验证，基于对大洪水的评估所建立的所有规划蓄滞洪措施的运行，将使 Karlsruhe 和 Worms 两地的洪峰流量分别削减 700m³/s 和 800m³/s，削减的这部分流量正好与该段水位下降 50～55cm 相对应。由于支流少，这种削减作用能保持到 Main 河口。再往莱茵河下游，这种削减作用变得越来越小，因为支流 Main 河、Nahe 河、Mosel 河、Lahn 河和 Seig 河的泄洪量也很大，都汇入莱茵河中，正好与降低的莱茵河水位相遇从而使作用抵消。1988 年 3 月洪水期间，共计有 0.25 亿 m³ 分蓄洪量的 Kehl/Straβburg 文化堰和 Altenheim 垸在高水位时使用，使 Karlsruhe/Maxau 处的洪峰水位降低了 23cm，而 Mainz 处的洪峰水位则只削减了 6cm，科隆处的洪峰水位仅削减了 3～5cm。

6 投资和竣工

Baden-Württemberg 州建设 13 个蓄滞洪区的净投资估计约为 7 亿德国马克，其中修建 Kehl 文化堰和 Altenheim 垸已用去 1.5 亿德国马克。此外，投资中必须追加规划和勘测费用、人工费用、补偿费用，尤其是因为被征作蓄滞洪区而限制其用途的补偿费用。德国政府承担了莱茵河综合计划投资的最大份额，约占 41.5%。其余的 58.5% 投资和其他费用，特别是运行费用，皆由 Baden-Württemberg 州承担。

根据目前许可程序执行的经验，以及由于蓄滞洪区的建设需要几年时间，所以 Baden-Württemberg 州最后一个蓄滞洪区不可能在 2010 年前竣工，这就要求目前所做的预算到工程竣工前总体上保持不变。

参考文献

1 Hochwasser-Studienkommission für den Rhein: Schluβbericht, Bundes ministerium für Verkehr, Bonn, 1978

2 Vereinbarung zur Anderung und Erganzung der Zusatzvereinbarung vom 16. Juli 1975 zum Vertrag vom 4. Juli 1969 zwischen der Bundesrepublik Deutschland und der Französischen Republik über den Ausbau des Rheins zwischen Kehl/Straβburg und Neuburgweier/Lauterburg vom 6. Dezember 1982, BGB1. 1984 II S. 268 ff

3 Umweltministerium Baden-Württemberg: Der Oberrhein im Wandel, Heft 9,

Veranderungen der Auelandschaft am Oberrhein, 1993

4 Umweltministerium Baden-Württemberg: Der Oberrhein im Wandel, Heft 11, Rahmenkonzept des Landes zur Umsetzung des Integrierten Rheinprogramms, 1994

下 篇

莱茵河国际合作

第十二章　莱茵河主要国际机构

1　莱茵河流域的国际委员会

因为莱茵河流域极为重要，所以各种国际委员会已经在该流域开展了相当长时间的工作。表12-1列出了这些委员会名单和它们的工作范围。

表 12-1　莱茵河流域的国际组织

名　称	任　务	活 动 内 容
莱茵河流域水文国际委员会	为莱茵河流域水文科学机构和水文服务机构的合作提供支持； 推动莱茵河流域内的数据和信息交换； 莱茵河流域国家的数据标准化	水文模型和仪器设备的比较； 洪水预报与分析； 泥沙输送调查； 莱茵河地理信息系统开发； 气候变化对莱茵河径流的影响研究
保护莱茵河国际委员会	污染源、污染物输送和沉淀调查； 为沿岸国家政府提供建议； 保护莱茵河合同的起草； 政府协议的实施； 防洪行动规划	莱茵河水体及动植物体内的污染物调查； 生物和化学监测； 生态形态研究； 污染物点源与面源调查； 警报模型开发； 污水排放监测
保护 Mosel 河和 Saar 河国际委员会	Mosel 河和 Saar 河污染情况调查； 为沿岸国家政府提供建议； 政府协议的实施	生态系统研究； 防止污染物排放的措施规划； 测量系统标准化； 主要污染物及其减少的详细记录； 警报模拟

续表 12-1

名　称	任　务	活　动　内　容
莱茵河流域自来水厂国际协会	水质监测； 饮用水源分析标准化； 水质改善	水厂的水处理技术比较； 分析程序比较和标准化； 改善饮用水质的技术调查
保护康斯坦茨湖国际委员会	康斯坦茨湖水质监测； 为沿岸国家提供建议； 流域污染防治措施建议	推动水质和湖泊研究； 水质持续评估； 可持续用水（饮用水源、娱乐）规划
莱茵河航运中央委员会	沿岸国家的航运合作； 航道维护； 技术／政策指南标准化	各工作组起草莱茵河流域国际航道的航运建议书，并监督航运

2　保护莱茵河国际委员会

2.1　历史背景

世界上任何国家都不会像荷兰那样深切体会到河流保护的国际性。长期以来，莱茵河污染尤其给荷兰造成了负面影响。50 年前，荷兰就已经抱怨莱茵河水中苯酚和盐的含量较高，为大面积地区提供饮用水源很困难。所以，荷兰联合莱茵河周边国家，发起召开了会议，讨论莱茵河保护问题，寻求共同解决的办法。保护莱茵河国际委员会（ICPR）于 1950 年 7 月 11 日在巴塞尔（Basel）成立。

2.2　重要历史事件

1950 年	由荷兰发起，莱茵河周边国家瑞士、法国、卢森堡、德国和荷兰创建了一个论坛，讨论与莱茵河污染有关的问题，寻求解决办法
1963 年	上述各国联合签署《防止莱茵河污染国际委员会公约》（《伯尔尼公约》），以此作为未来开展国际合作的法律依据
1976 年	欧共体加入签约方，签署《伯尔尼公约》补充协议
1976 年	签署《防止莱茵河化学污染公约》和《防止莱茵河氯化物污染公约》（1991 年签署补充协议）
1987 年	各国部长批准实施"莱茵河行动计划"
1995 年	各国部长决定起草"防洪行动计划"（《Arles 宣言》）

1998 年	召开第 12 届莱茵河部长级会议（1998 年 1 月 22 日），通过"防洪行动计划"和《新莱茵河公约》
2001 年	召开第 13 届莱茵河部长级会议（2001 年 1 月 29 日）

2.3 目标

- 整个莱茵河流域生态系统的可持续发展；
- 保障莱茵河作为饮用水源；
- 改善淤泥质量，以便利用或处置疏浚料且不破坏环境；
- 整体防洪，并对环境没有影响；
- 改善北海水质，以便与其他保护该海域的措施一致。

2.4 工作方法

- 部长们作出决策 ⟶ 委员会和成员国分工明确。
- 执行委员会决定是各成员国义不容辞的职责，但委员会作出的决定没有法律约束力。
- 3 个常设工作小组和 2 个项目小组负责起草和解释委员会决定。专家小组负责具体工作。这些小组成员来自各国高级官员和专家。
- 小型秘书处设在德国科布伦茨，负责委员会日常工作。

2.5 组织机构图

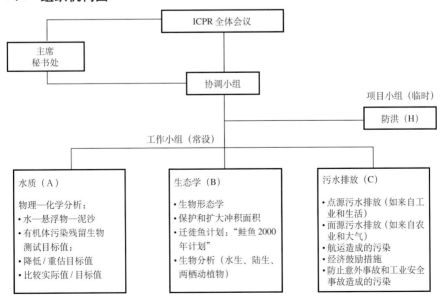

3 莱茵河流域水文国际委员会

3.1 发展历程

莱茵河流域水文国际委员会（CHR）成立于1970年。在联合国教科文组织（UNESCO）国际水文十年计划框架下，瑞士、奥地利、德国、法国、卢森堡和荷兰等国设国家水文委员会。因此，促进了UNESCO所提倡的莱茵河流域更为密切的国际合作。

CHR在UNESCO国际水文计划（IHP）和世界气象组织（WMO）应用水文计划（OHP）框架下开展工作。如今，CHR成为各成员国水文机构的依托，支持跨界水文计划。

CHR成立之初，主要开展了莱茵河专题的三方面工作，即图、表、文字工作。1978年完成这些工作以后，CHR针对重要问题开展了工作，例如：

- 研究水流情势变化；
- 建立有效的预警模型；
- 研究洪水传播时间；
- 描述和分析极端水文事件，如1976年的枯水年和1983年、1988年、1993～1995年的丰水年；
- 描述和分析测量设备、测量方法和泥沙运动模型；
- 确定气候变化和土地利用变化对水流情势的影响；
- 开发莱茵河水文地理信息系统（GIS）；
- 整理莱茵河流域文献。

多年来，CHR还承担了其他任务。这部分是由于社会变化和需要而造成的。以前着重解决与数据记录和水文资料处理有关的专题，而现在则强调用图表说明各种因素的相互作用以及人与水的关系，旨在为莱茵河流域持久的淡水管理提供资料。

在过去30年中，政治情况和制度也发生了巨大变化。欧盟获得了有关水政策决策过程的决定性投票权，并且国际组织（如国际莱茵河委员会（IRC）和保护北海会议）的影响越来越大。

3.2 使命和任务

CHR形成和整理的文献材料对莱茵河和流域内水道可持续管理十分重要。

CHR 收集莱茵河流域的研究成果，并对它们进行分析和处理，成为莱茵河沿岸国家的有用指南。

CHR 通过下列活动支持可持续淡水管理：

- 将其研究成果提供给沿岸国家和欧盟的决策机构；
- 评估和制定有关战略和措施。

CHR 尽可能有效地通过下列措施努力运用专业的科学资源：

- 促进莱茵河流域内水文机构的合作，继续开展合作研究及开发水文数据采集和处理的标准化程序；
- 与莱茵河流域内的科研机构、政府机关和国际组织合作；
- 鼓励这些部门和组织交换资料；
- 保持与欧洲其他流域和更远地区的类似机构的联系；
- 协助实施 UNESCO 的 IHP 和 WMO 的 OHP 以及综合这些计划成果。

3.3　组织机构

CHR 作为一个常设的、自治的国际委员会，在整个莱茵河流域开展工作。CHR 是靠基金维持的机构，在荷兰注册。

CHR 由成员国常任代表和秘书处组成。常任代表代表各自的国家，并负责以适当方式将国内有关淡水管理的重要科研机构、公共和私人机构组织起来。所有这些代表具有在重要科学部门和研究机构工作的经历，代表数最多为 15 人。

主席由成员国轮流担任。主席支持 CHR 的工作，制定新的鼓励政策，在公共场合代表委员会，并主持委员会会议。

秘书处由荷兰政府提供财政资助，总部设在荷兰内陆水管理和污水处理研究所（RIZA）。秘书处协助主席开展活动，并保持与工作小组和报告员的联系。

CHR 每年召开两次会议，任务包括：

- 通过比较，确定 CHR 的战略和活动计划；
- 成为讨论莱茵河流域可持续淡水管理战略问题的论坛；
- 不仅维持与莱茵河沿岸国家及欧盟科学部门和公共机构的良好关系，而且维持与国际组织的良好关系；
- 对有关项目进行决策，并公布已完成的项目。

CHR 协调与其他国际组织开展的活动，最主要是协调莱茵河流域内的国际组织活动。IRC秘书参加CHR的会议。同样，CHR成员也加入IRC的工作组。

3.4 主要领域

- 可持续淡水管理战略：重要因素的识别和可行的工作方法咨询（CHR发挥战略论坛的作用）；

- 水管理，尤其是洪水管理；

- 探索重要的科学空白（见解、数据、解决办法），以便促进可持续淡水管理，与水文有关的事项优先考虑；

- 影响水流情势（流域和水道特征）的参数；

- 与水流情势和地貌状况有关的泥沙管理；

- 水道水文和形态过程的生态功能；

- 开发水文和形态过程模型，绘制在水道上采取各种措施的影响图；

- 信息采集、处理、提供和水文预报的方法；

- 整理水文文献资料。

这些领域是相互关联的。例如，模型和方法是战略和概念形成的前提条件。因此，尽管CHR的财力有限，但是应重视所有这些领域。

3.5 活动的选择准则

下列标准在活动和项目选择中发挥作用：

- "计划"在识别可持续淡水管理战略的重要因素和工作方法方面具有潜力；

- "计划"在形成淡水管理的战略、概念和措施方面具有识别和填补空白的潜力；

- 预期结果与政治、社会有关；

- "计划"在推动莱茵河流域内的科学机构、政府机构和国际组织合作方面具有潜力；

- "计划"在促进资料交流方面具有潜力，不仅要在列举的机构间交流资料，而且要与欧洲的其他流域和更远流域的类似机构交流资料；

- "计划"在财务上必须可行。

3.6 活动的组织和资金筹集

CHR以项目形式开展活动。水文委员会直接负责项目的执行，或与莱茵河沿岸各国的科学机构和政府机构、欧盟和国际组织合作开展项目和计划。

CHR 在协调项目中的作用：

- 决定项目的执行；

- 指派项目管理者（一个人或一个委员会），成立工作组（针对大型项目），其中包括一位 CHR 常任代表和其他专家。工作组在项目执行过程中对项目管理有建议权，并控制项目执行的质量；

- 控制项目质量。

CHR 在其他机构开展项目中的作用：

- 决定如何参与；

- 作为 CHR 的参与，指派项目管理者（一个人或一个委员会）；

- 作为 CHR 的参与，为整个项目指派一名报告员。

CHR 在其成员机构负责的合作项目中的作用：

- 决定秘书处支持的程度，公布研究成果。

项目的资金筹集主要来自：

- CHR 的机构收入；

- 莱茵河沿岸国家、欧盟和国际组织推动有关研究的预算。

对于长期项目，要保证长期财政投入，主要包括成员国每年支付的固定会费。

CHR 自身的收入（来自成员国每年的会费）主要用于项目评估、项目鼓励和发布。

第十三章　2001 年部长级会议

——莱茵河 2020 年——莱茵河可持续发展计划

计划的重要目标

- 改善莱茵河生态系统
  - 必须恢复鱼类迁移计划中所确定的从康斯坦茨湖到北海的莱茵河及其支流以前的生境网络（生境连通性）和生态特点（上下游洄游）。
- 防洪
  - 到 2020 年，必须把莱茵河低地的洪水损失风险减少 25%（与 1995 年相比）；
  - 必须降低上莱茵河蓄洪区下游（巴登—巴登下游）的特大洪峰水位 70cm（与 1995 年相比）。
- 改善水质
  - 水质必须达到仅用简单的自然净化程序即可生产饮用水的标准；
  - 水的成分或其相互作用不会对动植物或微生物的生物群落造成负面影响；
  - 从莱茵河捕捞的鱼、蚌和小龙虾必须可以食用；
  - 莱茵河沿岸适宜的地方可作浴场；
  - 必须确保疏浚料的处理不会对环境造成有害影响。
- 保护地下水
  - 必须恢复良好的地下水水质；
  - 必须确保地下水抽取和回灌的平衡。

为了实现保护莱茵河 2020 年目标，目前的计划列出了将要采取的各种行动措施的方法及建议。另外，还提出了可使用的设备、公共关系工作、有效控制的重要性和第一工作阶段的费用。

欧洲议会和委员会 2000/60EU 指令于 2000 年 12 月 22 日在欧盟官方日报上发表并生效，为"水政策措施"（WFD）中欧盟行动确定了框架。执行"水政策措施"将有助于"莱茵河 2020 年"计划的基本部分的实施。

由于"莱茵河 2020 年"计划与"水政策措施"在内容上有类似之处，所以建议的措施将同时实现两个目标。第一阶段的工作计划说明了到2005 年可能采取的实施办法。为"莱茵河 2020 年"计划定期起草的工作计划必须具体落实"水政策措施"中确定的标准。

瑞士水政策与欧盟水政策相似。瑞士在执行自己的法规时，也会在实施"水政策措施"中支持欧盟成员国的行动。

在过去两年内，莱茵河沿岸各国通过公开对话起草了"莱茵河 2020年"计划。常常听到来自自然保护、防洪、工农业、航运和饮用水供应等方面团体感到压力的呼吁。因此，公众认可的 ICPR 计划是众望所归的，对快速执行地方措施非常必要。

1　引言

"莱茵河 2020 年——莱茵河可持续发展计划"确定了今后 20 年保护莱茵河的总体目标。迄今为止，已实施的莱茵河行动计划（1987～2000年）表明了在莱茵河所有沿岸国家大范围地实施一致的、积极的重建计划非常有效，在计划实施之初，没人能想到莱茵河水质有如此大的改善。在此基础上，进一步实施莱茵河生态总体规划、加强防洪及地下水保护是未来目标和行动措施的重点。继续对莱茵河监测仍然十分重要，并且必须继续实施改善水质的行动。

"可持续性"意味着要同时、不偏不倚地兼顾生态、经济和社会各方面。迄今为止，水政策集中在改善水质和水的重要用途上。因此，保持河流生态系统的完整性是次要的。根据可持续性的理念，ICPR 不断调整全面保护水资源的目标。

欧洲议会和委员会 2000/60EU 指令于 2000 年 12 月 22 日在欧盟官方日报上发表并生效，为"水政策措施"（WFD）中欧盟行动确定了框架。主要内容如下：

- 所有地表水体和地下水都必须在规定的时间内恢复到优质状态；
- 严禁任何破坏地表水体和地下水体质量的行为；

- 有义务致力于逐渐减少污水排放量和重要物质流失，停止或逐渐停止排放那些危害极大的物质；
- 根据流域进行水资源管理，并且有义务协调工作；
- 公众积极参与。

瑞士水政策与欧盟水政策相似。瑞士在执行自己的法规时，也会在实施"水政策措施"中支持欧盟成员国的行动。

执行"水政策措施"将有助于"莱茵河2020年"计划基本部分的实施。由于"莱茵河2020年"计划与"水政策措施"在内容上有类似之处，所以建议的措施将同时实现两个目标。第一阶段的工作计划说明了到2005年可能采取的实施办法。这些措施适用于整个流域，但侧重在莱茵河干流及其最重要支流上，如Mosel河、Main河、Neckar河等。为"莱茵河2020年"计划定期起草的工作计划必须要具体落实"水政策措施"中确定的标准。

显然，ICPR有关莱茵河保护措施必须考虑其他有关水体保护的国际公约，包括那些海洋保护公约，如《东北大西洋海洋保护公约》(OSPAR)。

在过去两年内，莱茵河沿岸各国通过公开对话起草了"莱茵河2020年"计划。常常听到来自自然保护、防洪、工农业、航运和饮用水供应等方面团体感到压力的呼吁。因此，公众认可的ICPR计划是众望所归的，对快速执行地方措施非常必要。

1998年1月22日在鹿特丹召开的第12届莱茵河部长级会议通过了"莱茵河可持续发展计划"导则，兼顾了保护措施的改进以及莱茵河的利用。新计划继"莱茵河行动计划"的成功实施，扩大了ICPR的行动范围。

根据第12届莱茵河部长级会议上的《部长宣言》，莱茵河可持续发展的目标涉及以下行动：

- 保证和保护目前饮用水生产和供应、废水排放和处理、工厂安全的高水平，保持水流自由通畅，保持莱茵河的航道功能；
- 采取全面的方法，综合在下列领域所采取的部门措施：改善水质、防洪、生态系统保护和改善、地下水保护；
- 采取现代河流分区管理手段：自动控制、现代化的莱茵河监测、加强个体责任、支持适合环境的农业耕作；
- 根据目标团体的公共关系工作，改进公共关系和信息发布，加强环境教育和创建在线信息系统。

　　莱茵河可持续发展计划具体落实《新莱茵河保护公约》中第三条款确定的总体目标和第四条款的原则。根据计划的序言和全面管理的方法，各国政府兼顾莱茵河及其沿岸和冲积区的宝贵特色，为莱茵河生态系统的可持续发展共同努力。另一方面，它们也十分清楚莱茵河是欧洲一条重要的多用途航线。

　　除了航运之外，莱茵河还主要用于饮用水生产、废水排放、发电、渔业等。将来，综合水管理必须结合莱茵河沿岸所有水政策措施和行动。一旦脱离了经济和生态目标，主管当局必须要认真考虑有关方面的利益。

　　希望气候变化及其影响（水情、水温）也能综合在以后的计划中。

　　成效控制是计划的基本内容。

2　目标和方法

　　"莱茵河 2020 年——莱茵河可持续发展计划"为莱茵河生态系统的可持续发展确定了总体目标，并且为不同工作领域确定了具体的目标、参数、数值标准和按区域划分的各种措施。为改善生态系统、防洪、水质和地下水所确定的目标在下文详细介绍。

　　同时列出目标和措施是国际惯例。措施产生的正面效果往往体现在不同的行动中，因此也就强调了计划的综合特点（见附件）。例如，为建设生境连续性而实施的措施和那些为提高防洪效果而采取的行动必须结合起来。这两个目标针对同一个地区，即莱茵河及其支流沿岸现在的和以前的洪泛区。

2.1　改善生态系统

　　莱茵河沿岸生境结构的多样性仍远远不够。莱茵河及其支流（如 Mosel 河、Main 河、Neckar 河）中原先自由流动的河段变成了一系列的蓄水塘。在莱茵河及其几乎所有支流上的大量河流整治措施已基本上改变了水文和地形条件。上莱茵河和下莱茵河的泛洪区面积被削减了 85% 以上，以至于损失了大量生境和莱茵河典型的动植物种群。实施生态总体计划的目标即是遏制这种发展态势。

2.1.1　目标

　　"莱茵河生态总体计划"中最重要的目标即恢复其干流为莱茵河生态系统的支柱，恢复、保持和保护其主要支流为迁徙鱼类的栖息地，改善并扩大莱茵河沿岸及河谷代表本土动植物种群生境的、具有重要生态意义的地区。

将生境指令❶和鸟类指令❷中的要求相结合所采取的措施，旨在恢复从康斯坦茨湖到北海的莱茵河（包括迁徙鱼类计划中确定的支流）生境断裂带的连通性和生态连续性（上下游洄游）。

现在必须起草莱茵河各河段的发展目标，并实施有关措施，以便实现这些目标和总体目标。

2.1.2 步骤和措施

改善生态系统，恢复从康斯坦茨湖到北海的生境断裂带的连通性具体为下列措施：

在莱茵河沿岸及其低地：

- 通过重新确定堤坝位置，保持冲积地区典型的自然行洪和动态过程，如冲刷和泥沙淤积。到 2005 年沿莱茵河恢复洪泛区面积至少 20km²，到 2020 年为 160km²❸；

- 保护莱茵河三角洲沿岸珍贵的冲积生态系统或划定自然发展区，以保持和加强生物多样性（如生境指令和鸟类指令中所列）；

- 加强冲积地区的粗放耕作，为冲积地区的可持续利用起草发展计划（如生境指令和鸟类指令中所列）；

- 到 2005 年至少恢复 25 个牛轭湖和周边水体与莱茵河水体之间的动力连接，到 2020 年达到 100 个；恢复河流与其冲积地区间原有的水力和生物连接，以促使生物群落的发展与这些生存条件相适应；

- 到 2005 年在莱茵河 400km（至少）长的适宜河岸上增加结构多样性，到 2020 年达到 800km 长，其中要考虑到航运和人身安全；

- 建立与环境相协调的水管理系统，以改善莱茵河及其周边水体的生态；

- 通过容许或鼓励莱茵河适宜河段底部的运动，保持航道以外的砂砾沉淀，并／或采取措施改善床沙运动，发展近似天然的河床结构；

- 开发并采取措施，以减轻莱茵河蓄水段下游河床冲刷极其严重的

---

❶ 保护生境或物种的 92/43/EEC 指令，最后由 97/62/EG 指令修正。
❷ 保护野生鸟类种群的 79/409/EEC 指令，最后由 97/49/EC 指令修正。
❸ 数字与防洪行动计划中的一致。

状况；

- 如果不评估生态影响，就不采取技术性措施加深河床；
- 加大并适应莱茵河 Kembs-Breisach 河段旧河床及边侧河流里的水流；
- 保持莱茵河的自由水流河段❶；
- 通过在蓄水区周边修建人工河或洄游设施（如鱼道）恢复干流的生态特征；
- 保护完好的产卵地区和小鱼生境，并恢复干流适宜的鱼类生境；
- 从莱茵河低洼地挖取砂砾时要考虑到生态要求。

在莱茵河流域：

- 到 2005 年莱茵河流域粗放耕作面积至少达到 1 900km²，到 2020 年达到 3 900km²，以鼓励生物多样性❷；
- 到 2005 年莱茵河流域植树造林和自然发展的面积至少达到 1 200 km²，到 2020 年达到 3 500km²，以鼓励生物多样性❷；
- 到 2005 年莱茵河流域洪泛区面积至少恢复为 300km²，到 2020 年达到 1 000km²❷；
- 到 2005 年莱茵河流域自然水流长度至少恢复为 3 500km，到 2020 年达到 11 000km❷；
- 在使用蓄洪区时要考虑到生态标准；对蓄洪区的综合利用进行规划，如恢复冲积地区、发展与环境相适宜的旅游等；
- 恢复迁徙鱼类计划中所列支流的生态特征（鱼类在上下游间的自由迁徙），如修建边侧人工河或洄游设施，必要的话，可拆除不再使用的围堰；
- 保护完好的产卵地和小鱼生境，并恢复迁徙鱼类计划中所列支流适宜的鱼类生境。

2.2 防洪

ICPR 防洪行动计划将防洪具体化。1998 年 1 月 22 日在鹿特丹召开的第 12 届莱茵河部长级会议已把防洪行动计划与本计划相结合。

洪水威胁加大的原因之一是由于河流整治、改道和筑堤造成莱茵河沿岸原来的自然洪泛区面积被削减 85% 以上，同时土表封闭和土壤板结

---

❶ 考虑了 1982 年 12 月 6 日签订的有关伊费茨海姆下游蓄水区的德法公约。
❷ 数字与防洪行动计划中的一致。

速度迅速增加。这些变化导致洪水明显加快、洪峰增高。随着人口不断增加，易发生洪水的冲积河谷也被充分利用。这些地区的洪水损失风险十分高。至今尚不可能遏制这种发展趋势。

ICPR 号召莱茵河沿岸各国采取防洪行动，直至 2020 年。行动计划的目标是加强对生命和物资的保护，免受洪水侵袭，并改善莱茵河及其冲积地区的生态状况。1995 年是向所有目标挺进的起始年。

2.2.1 目标

- 到 2005 年将损失风险降低 10%，到 2020 年降低 25%；
- 到 2005 年将整治河段下游的极限洪水位降低 30cm，到 2020 年降低 70cm；
- 增强防洪意识，到2005年为整个洪泛区和易受洪泛区绘制风险图；
- 通过国际合作，改进洪水预报系统，到2005年将预报期延长100%。

2.2.2 方法和措施

在莱茵河沿岸和其低地：

- 通过恢复洪泛区，提高莱茵河沿岸的蓄洪能力（到 2005 年恢复洪泛区面积20km²，到 2020 年达 160km²）❶；
- 通过技术性蓄洪设施，提高莱茵河沿岸的蓄洪能力（到 2005 年蓄洪 0.68 亿 m³，到 2020 年蓄洪 3.64 亿 m³）❷；
- 维护和加固堤防，使堤防符合防洪标准（到 2005 年维护和加固堤防 815km，到 2020 年达 1 115km）；
- 通过引入和推广适应洪水泛滥风险的用途，在区域规划方面实施防御性措施；
- 在区域规划方面实施防御性措施，到 2005 年为所有洪泛区和易受洪泛区绘制风险图；
- 改进洪水预警系统，到 2005 年将预报期延长一倍，以减轻损失。

在莱茵河流域：

- 通过恢复河流的自然状态，提高莱茵河流域的蓄洪能力（到 2005 年恢复河流长 3 500km，到 2020 年达 11 000km）❷；
- 通过恢复洪泛区，提高流域的蓄洪能力（到 2005 年恢复洪泛区面积 300km²，到 2020 年达 1 000km²）❷；

---

❶ 这个目标同时促进了莱茵河生态环境改善和生境连续性的建设，也符合地下水回灌的目标。
❷ 如果蓄洪区不再用于集约农业，而是用于生态洪水，这个目标也有利于生态改善。

- 通过推广粗放耕作，提高流域的蓄洪能力（到 2005 年粗放耕作面积达到 1 900km²，到 2020 年达 3 900km²）❶；
- 通过自然发展和植树造林，提高流域的蓄洪能力（到 2005 年自然发展和植树造林面积达到 1 200km²，到 2020 年达 3 500km²）❶；
- 通过加强雨水渗透（到 2005 年透雨面积达到 800km²，到 2020 年达 2 500km²）和限制未来封闭措施，提高流域的蓄洪能力❶；
- 通过技术性蓄洪设施，提高流域的蓄洪能力（到 2005 年蓄洪 2 600 万 m³，到 2020 年蓄洪 7 300 万 m³）。

2.3　改善水质

莱茵河行动计划的实施已经显著改善了莱茵河水质。点源污染已大大降低，因此现在面源污染成了首要问题。如果要进一步改善莱茵河和北海水质和悬浮物质量，那么首先必须减少有害物质和面源营养物造成的水污染。

2.3.1　目标

- 与莱茵河水、悬浮物、沉积物和有机体有关的所有物质都要永久符合目标值；
- 停止或逐步停止水框架指令中列出的重要有害物质的排放和流失；
- 逐步减少水框架指令中列出的重要物质的排放和流失；
- 进一步减少《东北大西洋海洋保护公约》（OSPAR）中规定的主要物质的排放和流失，以符合海洋环境标准，即根据 OSPAR 委员会和辛特拉（Sintra）宣言中的规定，接近自然生长物质所需的基本值，并使工业生产的合成物质排放接近零；
- 水质应达到这样的标准：使用简单的、接近自然的处理方法即可生产饮用水；
- 莱茵河水中的物质不管是本身还是通过混合都不会对动植物和微生物的生物群落造成危害；
- 必须继续降低动植物和微生物中的危害物质含量；
- 不会造成生物数量过多；
- 莱茵河的鱼、蚌和甲壳动物必须达到人类食用标准，而没有任何限制；

---

❶ 如果蓄洪区不再用于集约农业，而是用于生态洪水，这个目标也有利于生态改善。

- 必须保证疏浚料的处理对环境没有任何危害；
- 莱茵河沿岸适当的地方可作浴场；
- 进一步防止北海污染。

2.3.2 方法和措施

- 通过使用最先进和最环保的方法，继续减少莱茵河中有关物质的排放和流失；
- 执行 ICPR 的有关决定；
- 根据知识的不断发展，结合水框架指令为重要物质和危害物质以及 OSPAR 重要物质确定的质量目标，更新莱茵河中有关物质清单和目标；
- 进一步采取措施，以实现针对重要物质和危害物质所确定的目标；
- 执行有关水质的欧盟指令：水框架指令(2000/60/EC)、IPPC (96/61/EC)、城市废水指令（91/271/EEC）、硝酸盐指令（91/676/EEC）、植物保护剂指令（91/414/EEC）、生物杀虫剂指令(98/8/EC)和其他改善水质的指令；
- 进一步开发当局和工厂废水排放自动集成监测系统，开发并使用统一的生物毒害评估方法（参见 OSPAR 所做的相关工作，废水排放的整体评估十分重要）；
- 进一步开发莱茵河预警和警报系统；
- 在工商业中推广物质的生态管理，如：开发对环境危害较低的产品、周密的材料回收、采用环保型生产工艺（保护内容：环保产品、清洁生产技术、在生产中采取有关措施、无害环境的原材料和加工材料、有利生态的管理、材料的使用和维护；回收内容：在生产过程中或以后周密回收材料；废水处理后最终再回收利用）；
- 为单独措施制定评估方法，着眼于对其他行动（包括由专家进行的综合评估）产生的影响；
- 推广有利环境的土地管理、生物耕作和粗放耕作措施，并委托农民保护自然地貌。

2.4 保护地下水

保护地下水是 ICPR 的一项新工作，因此第一步是进行资源调查。下一步则是实现既定目标。必要的话，同时还必须开发指标系统。最后，必须对地下水质进行评估，制定和执行相应的措施。

《新莱茵河保护公约》的第二条款第二段限定有关范围为"与莱茵河相互作用的地下水"。

2.4.1 目标

- 保护地下水不受已污染莱茵河水的入渗影响，以及保护莱茵河水不受已污染的地下水影响。
- 维持河水和地下水（尤其在冲积地区）的动态和定量关系。
- 通过保护、改善和恢复地下水体，获得良好的地下水质。
- 扭转人为因素造成〔污染〕物含量严重的状况和不断上升趋势。
- 保证地下水的取〔水和〕补水量，即恢复地下水取水和补水的平衡关系。
- 促进雨水〔回灌地下环〕境。
- 恢复冲〔积地区生〕生态系统。
- 特别在〔发展工业和〕工商业时，要确保考虑到地下水和蓄水〔层。在生产和〕运输对水有害物质时，保证对现有基础设施〔（如铁路、公路、〕交通要道、存放对水有害的物质的仓库等）采取严密〔的保护措〕施，以避免对地下水造成污染。
- 当莱茵河冲积地区被洪水淹没的采砾坑在停止开采后重新利用时，要保护地下水。

2.4.2 方法和措施

- 进行资源调查；
- 通过推广环保农业进一步减少面源污染物，特别是氮化物和植物保护剂，如在瑞士推广综合型农业生产，推广生态农业和粗放耕作；
- 通过执行水框架指令，取得更大进展。

3 手段和公共关系

为了实施有关措施、实现上述工作目标，必须采用不同的手段。必须在自动控制方面开发和使用新手段。除了运用国家法律以外，将采用下列手段实现目标。

3.1 实现目标的手段

- 加强污水排放的个体责任，以减少危险物质排放，采用有效的、可评估的自愿协议；

- 运用环境管理系统（如EMAS、根据ISO14001制定的环境认证、环境规划和环境报告等）；

- 使用农业自愿协议，保存与土地有关的数据资料；

- 邀请感兴趣的团体参加公开的规划程序和措施评估的听证会、技术讨论会及类似会议等；

- 在国家或地区区域规划、有关环境规划或建筑许可程序中考虑现有计划的要求；

- 鼓励当地利益团体和公司尽早参与计划的制定；

- 针对个案起草用水者（或用水者团体）自愿协议，以保证一定程度的法律安全，保护获得的中期或长期成果，允许长期、有效的生态发展；

- 定期组织莱茵河各河段有关或感兴趣的个人或团体进行讨论，促进国家或国际范围内继续交换意见，这首先对未来区域规划起到积极影响；

- 对非常有可能产生争议的工程要进行调解；

- 对莱茵河不同河段启动示范工程，通过结成伙伴关系，在这些工程之间建立跨界联系，从而突出整个莱茵河系统及建立干流和冲积地区之间连续性的重要性。

3.2 ICPR将根据总体战略概念，为公共关系确定一个新方向。应通过公众呼吁的、通俗易懂的材料向公众公布信息

战略概念包括下列要素：

- 确定目标群体：谁、什么时候、为什么和怎么做？

- 加强一般性和专门性媒体工作；

- 为学校制作学习材料（文件、录像、光盘等）；

- 提高公众对水资源价值、莱茵河美学以及莱茵河河谷地貌特色的认识，这个主题应特别纳入学校和成人教育中；

- 将这些事实融入莱茵河河谷环保旅游（生态旅游）的概念中，并贯彻这个概念；

- 利用现代的在线信息系统、ICPR网站等综合加强透明度。

4　成效控制

成效控制是本计划的基本部分。根据水框架指令确定的标准，定期对莱茵河状况进行评估。执行成效控制所需的监测计划是以依法管理莱茵河沿岸各国为基础的。必须设计特别手段，以控制恢复生境连续性和执行防洪行动计划的进度。

成效控制手段：

- 根据水框架指令的附录五，采用协调评估系统；
- 根据莱茵河有关物质的目标值，进行常规控制；
- 必须开发新手段，控制创建生境连续性的进度，这种手段必须结合生境指令和鸟类指令的要求；
- 应该可以计算为减少洪水损失风险而采取的措施的效果，正在开发计算模型，绘制莱茵河低地洪泛区和易受洪泛区风险图，以形象化演示损失风险和降低风险目标；
- 将开发模拟模型，评估已实施措施对莱茵河及其流域的影响、控制旨在"降低特大洪水位"措施的效果；
- 防洪行动计划确定了 2005 年、2010 年、2015 年和 2020 年的成效控制，所有各类措施和进度都要根据成效更新；
- 应规定各类行动目标实现的程度，并需要进行常规成效控制。

5　执行和费用

本计划将分几个工作阶段来执行。第一阶段到 2005 年。粗略估计此阶段费用为 50 亿欧元。这笔款项主要用于防洪行动计划的执行和莱茵河水文网络的生态改善。

迄今为止，有关各缔约方执行整个计划（到 2020 年）的费用尚无法估计。但采取的措施必须适当而且经济有效。各成员国对自行实施的措施负责。

必须考虑邀请一些地区和地方机构（特别是负责财务的机构）参与有关措施（尤其是那些涉及生态和防洪的措施）的执行。

附件：

保护莱茵河（RPT）的措施效果

☆☆☆☆效果极好　☆☆☆效果好　☆☆效果一般　☆效果差　☐无效

改善生态系统

措施	生态系统	防洪	水质	地下水
在莱茵河沿岸和低地：				
1.到 2005 年至少恢复洪泛区面积 20km²，到 2020 年达 160km²，最好重建堤防	☆☆☆☆	☆☆☆	☆☆☆	☆☆☆
2.保护宝贵的冲积地区生态系统或划定自然发展区	☆☆☆☆	☆☆☆	☆☆☆	☆☆☆
3.促进冲积地区的粗放耕作，并草拟发展计划	☆☆☆☆	☆☆☆	☆☆☆	☆☆☆
4.到 2005 年至少恢复 25 个牛轭湖和周边水体与莱茵河的动力联系，到 2020 年达 100 个；恢复河流和冲积地区原有的水力和生物联系	☆☆☆☆	☆☆☆	☆☆☆	☆☆☆
5.到 2005 年在至少 400km 长的莱茵河适当河岸上增加结构多样性，到 2020 年达 800km 长	☆☆☆☆	☆☆	☆☆☆	☆
6.进行环保水管理，以改善莱茵河及其周边水体生态	☆☆☆☆	☆	☆☆☆	☆
7.通过容许或鼓励莱茵河适宜河段底部的运动，保持航道以外的砂砾沉淀，并/或采取措施改善床沙运动，发展近似天然的河床结构	☆☆☆☆	☆☆☆	☆	☆☆☆
8.开发并采取措施，以减轻莱茵河整治河段下游河床冲刷极其严重的状况	☆☆☆☆	☆	☆	☆
9.如不对后果进行初步评审，就不采取技术性措施加深河床	☆☆☆☆	☆	☆	☆

措　　施	生态系统	防洪	水质	地下水
10.加大并适应莱茵河 Kembs—Breisach 河段旧河床及边侧河流里的水流	☆☆☆☆	☆☆	☆☆	☆☆
11.保持莱茵河的自由水流河段	☆☆☆☆	☆☆☆	☆☆	☆
12.通过在蓄水区周边修建人工河或洄游设施（如鱼道）恢复干流的生态特征	☆☆☆☆	☆	☆☆	☆
13.保护完好的产卵地区和小鱼生境，并恢复干流适宜的鱼类生境	☆☆☆☆	☆☆	☆☆	☆
14.从莱茵河低洼地挖取砂砾时要考虑到生态要求	☆☆☆☆	☆☆☆	☆☆	☆☆☆
在莱茵河流域：				
15.到 2005 年莱茵河流域粗放耕作面积至少达到 1 900km²，到 2020 年达到 3 900km²，以鼓励生物多样性	☆☆☆☆	☆☆☆	☆☆☆	☆☆☆☆
16.到 2005 年莱茵河流域植树造林和自然发展的面积至少达到 1 200 km²，到 2020 年达到 3 500km²，以鼓励生物多样性	☆☆☆☆	☆☆☆	☆☆☆	☆☆☆☆
17.到 2005 年莱茵河流域洪泛区面积至少恢复为 300km²，到 2020 年达到 1 000km²	☆☆☆☆	☆☆☆	☆☆☆	☆☆☆☆
18.到 2005 年莱茵河流域自然水流长度至少恢复为 3 500km，到 2020 年达到 11 000km	☆☆☆☆	☆☆☆	☆☆☆	☆☆☆
19.在使用蓄洪区时要考虑到生态标准；对蓄洪区的综合利用进行规划，如恢复冲积地区、发展与环境相适宜的旅游等	☆☆☆☆	☆	☆☆	☆☆

措　施	生态系统	防洪	水质	地下水
20.恢复迁徙鱼类计划中所列支流的生态特征(鱼类在上下游间的自由迁徙),如修建边侧人工河或洄游设施,必要的话,可拆除不再使用的围堰	☆☆☆☆	☆☆	☆☆	☆☆
21.保护完好的产卵地和小鱼生境,并恢复迁徙鱼类计划中所列支流适宜的鱼类生境	☆☆☆☆	☆☆	☆☆	☆☆

防洪

措　施	生态系统	防洪	水质	地下水
在莱茵河沿岸和低地:				
1.通过恢复洪泛区,提高莱茵河沿岸的蓄洪能力(到2005年恢复洪泛区面积20km²,到2020年达160km²)	☆☆☆☆	☆☆☆☆	☆☆☆	☆☆☆
2.通过技术性蓄洪设施,提高莱茵河沿岸的蓄洪能力(到2005年蓄洪0.68亿m³,到2020年蓄洪3.64亿m³)	☆☆☆	☆☆☆☆	☆☆☆	☆☆☆
3.维护和加固堤防(到2005年加固堤防815km,到2020年加固堤防1 115km);通过生态行洪方式,提高防洪标准	☆☆	☆☆☆☆	▢	▢
4.通过引入和鼓励适应洪水的用途,在规划中采取防御性措施	☆☆	☆☆☆☆	☆☆	☆☆
5.到2005年绘制所有洪泛区和易受洪泛区风险图,从而在规划中采取防御性措施	☆☆	☆☆☆☆	▢	▢
6.改进洪水预警系统,到2005年将预报期延长一倍,以降低风险	▢	☆☆☆☆	▢	▢

措　施	生态系统	防洪	水质	地下水
在莱茵河流域：				
7.通过恢复河流的自然状态，提高莱茵河流域的蓄洪能力（到 2005 年恢复河流长 3 500km，到 2020 年达 11 000km）	☆☆☆	☆☆☆	☆☆☆	☆☆☆
8.通过恢复洪泛区,提高流域的蓄洪能力（到 2005 年恢复洪泛区面积 300km²，到 2020 年达 1 000km²）	☆☆☆	☆☆☆	☆☆☆	☆☆☆
9.通过推广粗放耕作，提高流域的蓄洪能力（到 2005 年粗放耕作面积达到 1 900km²，到 2020 年达 3 900km²）	☆☆☆	☆☆☆	☆☆☆☆	☆☆☆☆
10.通过自然发展和植树造林，提高流域的蓄洪能力（到 2005 年自然发展和植树造林面积达到 1 200 km²，到 2020 年达 3 500km²）	☆☆☆	☆☆☆	☆☆☆☆	☆☆☆☆
11.通过加强雨水渗透（到 2005 年透雨面积达到 800km²，到 2020 年达 2 500km²）和限制未来封闭措施，提高流域的蓄洪能力	☆☆☆	☆☆☆	☆☆☆	☆☆☆
12.通过技术性蓄洪设施，提高流域的蓄洪能力（到 2005 年蓄洪 2 600 万 m³，到 2020 年蓄洪 7 300 万 m³）	☆☆	☆☆☆	☆	☆☆

改善水质

措　施	生态系统	防洪	水质	地下水
1.通过使用最先进和最环保的方法，继续减少莱茵河中有关物质的排放和流失	☆☆☆	☆	☆☆☆☆	☆☆☆☆
2.执行 ICPR 的有关决定	☆☆☆	☆	☆☆☆☆	☆☆☆☆
3.根据知识的不断发展，结合水框架指令为重要物质和危害物质以及 OSPAR 重要物质确定的质量目标，更新莱茵河中有关物质清单和目标	☆☆☆	☆	☆☆☆☆	☆☆☆

措　施	生态系统	防洪	水质	地下水
4.进一步采取措施，以实现针对重要物质和危害物质所确定的目标	☆☆☆	☆	☆☆☆☆	☆☆☆
5.执行有关水质的欧盟指令：水框架指令（2000/60/EC）、IPPC（96/61/EC）、城市废水指令（91/271/EEC）、硝酸盐指令（91/676/EEC）、植物保护剂指令（91/414/EEC）、生物杀虫剂指令（98/8/EC）和其他改善水质的指令	☆☆☆	☆	☆☆☆☆	☆☆☆☆
6.进一步开发当局和工厂废水排放自动集成监测系统，开发并使用统一的生物毒害评估方法	☆☆☆	☆	☆☆☆☆	☆☆☆☆
7.进一步开发莱茵河预警和警报系统		☐	☆☆☆	☆☆☆
8.在工商业中推广物质的生态管理	☆☆☆	☆	☆☆☆☆	☆☆☆☆
9.为单独措施制定评估方法，着眼于对其他行动（包括由专家进行的综合评估）产生的影响	☆☆☆	☆	☆☆☆☆	☆☆☆☆
10.推广有利环境的土地管理、生物耕作和粗放耕作措施，并委托农民保护自然地貌	☆☆☆☆	☆	☆☆☆☆	☆☆☆☆

保护地下水

措施	生态系统	防洪	水质	地下水
1.进行资源调查	☆☆	☆☆	☆☆☆	☆☆☆☆
2.通过推广环保农业进一步减少面源污染物，特别是氮化物和植物保护剂,如在瑞士推广综合型农业生产、推广生态农业和粗放耕作	☆☆☆	☆☆	☆☆☆☆	☆☆☆☆

附录 1 莱茵河保护公约

（1999 年 4 月 12 日于波恩）

德意志联邦共和国、法兰西共和国、卢森堡大公国、荷兰王国、瑞士联邦各政府以及欧洲联盟

希望结合莱茵河的水流、滨岸及冲积地区的主要特点，采取全面整治的方法，使整个莱茵河的生态系统逐步达到可持续发展的水平；

旨在加强相互之间的配合与协作以治理和改善莱茵河生态系统；

根据 1992 年 3 月 17 日关于保护和利用跨国境水道及国际湖泊的公约，以及 1992 年 9 月 22 日关于保护东北大西洋海洋环境的公约；

结合 1963 年 4 月 29 日保护莱茵河国际委员会的防止莱茵河污染协定以及 1976 年 12 月 3 日补充协定框架下采取的行动；

考虑到 1976 年 12 月 3 日防止莱茵河化学污染的公约和 1987 年 9 月 30 日莱茵河行动计划经执行后河流水质已有所提高和改善且提高和改善须继续；

牢记莱茵河的恢复对于维护和改善北海生态系统也是必不可少；

认识到莱茵河是欧洲一条重要的多用途水道；

经协议如下：

第一条 定义

本公约中下列用语界定如下：

"莱茵河"

莱茵河始自下塞湖（Untersee）湖口，包括荷兰境内的一系列支流：博文莱茵河（Bovenrijn）、比杰兰兹（Bijlands）运河、潘讷登（Pannerdensch）运河、艾瑟尔（IJssel）河、下莱茵河（Nederrijn）、莱克（Lek）河、瓦尔（Waal）河、博文—默尔维德（Boven-Merwede）河、本尼德—默尔维德（Beneden-Merwede）河、努尔德（Noord）河、

旧马斯（Oude Maas）河、新马斯（Nieuwe Maas）河、谢尔（Scheur）河、新瓦特维格（Nieuwe waterweg）河（至联合国海洋法公约第五条和第十一条所规定的基线）、凯特尔（Ｋｅｔｅｌｍｅｅｒ）湖和艾瑟尔（IJsselmeer）湖。

"委员会"

委员会指保护莱茵河国际委员会（ICPR）。

第二条　适用范围

本公约的适用范围包括：

1.莱茵河；

2.与莱茵河相关联的地下水；

3.与莱茵河有联系的，或可能会与莱茵河重新发生联系的水相和陆相生态系统；

4.莱茵河流域地区，包括因其本身受到有毒物质污染而对莱茵河有严重影响的流域地区；

5.莱茵河流域地区，包括对莱茵河沿岸防洪有重要意义的流域地区。

第三条　目标

缔约方在本公约中提出了以下目标：

1.实现莱茵河生态系统的可持续发展，主要通过：

(1)保持和改善莱茵河水质,包括悬浮物、沉淀物和地下水的质量,特别是：

- 应尽可能防止、减少或消除来自点源（如工矿企业和市镇）和面源（如农业和交通运输）——包括来自地下水和航运的有害物质和营养素造成的污染。

- 保证并提高工业设备的安全，防止发生意外事件和事故。

(2)保护有机物种群和物种的多样性,减少有害物质对有机物的污染。

(3)保持、改善和恢复河流的自然功能,确保在管理水流时考虑到固体物质的自然流动，促进河流、地下水和冲积地区之间的相互作用；保持、保护和恢复冲积地区的天然洪泛区功能。

(4)保持、改善和恢复生活在河里、河底、河岸及其相邻地区的野生动植物栖息地，改善鱼类的生存条件和恢复它们的自由洄游。

(5)保证水资源得到有利于生态的合理管理。

(6)在对水道进行技术开发（包括防洪、航运或水力发电）时考虑到生态方面的要求。

2.莱茵河为饮用水生产提供水源。

3.改善沉淀物的质量，保证在处置疏浚物时不会对环境造成严重危害。

4.结合生态要求，采取全面的防洪保护措施。

5.结合其他旨在保护北海的行动，协助恢复北海的面貌。

第四条 工作原则

为实现上述目标，缔约方的行动应遵循以下原则：

1.谨慎原则；

2.预防原则；

3.矫正原则，在源头优先采用矫正原则；

4.污染者付费原则；

5.不增加损失原则；

6.重大技术措施补偿原则；

7.可持续发展原则；

8.采用并开发先进技术和环保措施原则；

9.环境污染不转嫁给其他环境介质原则。

第五条 缔约方的义务

为实现第三条中确定的目标，并结合第四条中规定的各项原则，缔约方承担以下义务：

1.应加强合作，相互通报各自的情况，特别是在各自境内采取的保护莱茵河措施的情况。

2.委员会同意后，各方应对各自境内莱茵河段的生态系统实施国际观测项目和研究工作，并应将工作成果通知委员会。

3.为了确定污染的原因和责任方，各方应进行必要的调查工作。

4.各方应当在各自的境内自行采取必要措施,应确保做到以下各项：

(1)对可能影响水质的污水排放，应事先征得排放许可，或遵照限量排放的一般规定；

(2)逐步减少有害物质的排放量，直至完全停止排放；

(3)遵守排放许可制度或限量排放的一般规定，排放时接受监测；

(4)如果有最新改进的技术支持，或应受排国的要求，那么应定期审查和调整排放许可制度和一般规定；

(5)通过管理尽量降低意外事件或事故引发的污染风险，并应在紧急情况下采取必要措施；

(6)很可能会对莱茵河生态系统产生严重影响的技术措施应提前送审，确定其符合必要的条件或一般规定。

5.根据第十一条，为了履行委员会做出的决定，各方应在各自境内采取必要措施。

6.如遇可能威胁莱茵河水质的意外事件或事故，或在即将发生洪水的情况下，根据由委员会负责协调的预警和警报计划，应立即通知委员会以及很可能会受影响的缔约方。

第六条 委员会

1.为了实施本公约，各缔约方应在委员会管理下相互合作。

2.委员会应具有法人资格，在各缔约方境内尤其具有该国法律赋予法人的法律行为能力，应由主席代表委员会。

3.总部所在国的法律应指导劳动法问题和社会事务问题的解决。

第七条 委员会的组织

1.委员会应由各缔约方的代表团组成，各缔约方应任命其代表团成员，包括一名团长。

2.代表团可另列专家入席。

3.委员会主席任职三年，依序言中排列次序由各缔约方代表团轮流担任。由轮值代表团提名主席名单。一经当选，主席即不得担任原代表团发言人；如某缔约方宣布放弃主席职务，由序言中紧随其后的缔约方担任主席。

4.委员会应草拟其工作条例和财务规定。

5.委员会应就内部组织事务、必要的工作机构和年度预算做出决定。

第八条 委员会的任务

1.为了实现第三条确定的目标，委员会应完成以下任务：

(1)编制莱茵河生态系统的国际观测计划及研究项目，并将研究结果投入使用，必要的话可与科研机构合作；

(2)提出各类措施的建议书和措施规划书，适当情况下可包括经济手段，并考虑到预计费用；

(3)协调各缔约方的莱茵河预警和警报计划；

(4)评估已确定措施的有效性，评估的依据主要包括各缔约方的报告、莱茵河生态系统观测计划和研究成果；

(5)执行各缔约方委托实施的其他任务。

2.为此，委员会应根据第十条和第十一条做出决定。

3.委员会应向各缔约方提交年度工作报告。

4.委员会应公布莱茵河状况及其工作成果，草拟和公布报告。

第九条 委员会全体会议

1.应主席邀请，委员会应每年召开一次全体会议。

2.应主席或至少两个代表团的要求，主席可召开特别全体会议。

3.主席应提出议事日程。各代表团均有权提出在议事日程中加入其希望讨论的内容。

第十条 委员会决定的通过

1.应一致通过委员会的决定。

2.每个代表团投一票。

3.如果依据第八条第一款第二项规定的应由欧洲共同体成员国执行的措施属于欧洲共同体管辖的范围，则欧洲共同体应按与本公约各签国数目相应的票数进行投票，本条第二款的规定不适用。如各成员国已投票，欧洲共同体即不再投票；反之亦然。

4.如果只有一张弃权票，应一致通过决定。本规定不适用于欧洲共同体代表团。代表团缺席应视为弃权。

5.工作条例为书面形式。

第十一条 委员会决定的执行

1. 委员会应以建议的形式向各缔约方通报委员会对第八条第一款第二项所述措施做出的决定。各缔约方应根据本国国法执行委员会的决定。

2. 委员会应规定这些决定应:

(1)由缔约方在规定期限内执行;

(2)以相互协调的方式执行。

3. 缔约方应定期向委员会报告以下内容:

(1)为顺利实施本公约规定以及根据委员会决定所采取的法律、管理和其他措施;

(2)根据第(1)项采取措施后取得的结果;

(3)采取第(1)项中所述措施而引发的问题。

4. 如果某缔约方未能执行委员会的决定,或仅能部分地执行决定,该缔约方应在委员会规定的期限内报告此事,并说明原因。各代表团均可动议展开协商,此类动议须在两个月内得到处理。

根据缔约方的报告或协商,委员会应就有关协助执行决定的措施做出决定。

5. 委员会应保留一份决定清单,并向缔约方提供该清单。缔约方每年将委员会决定的执行情况最迟在委员会全体会议召开前两个月增列入清单。

第十二条 委员会秘书处

1. 委员会应有常设秘书处,处理委员会委托的任务。执行秘书领导秘书处的工作。

2. 缔约方决定秘书处的总部所在地。

3. 委员会指定执行秘书。

第十三条 费用分摊

1. 各缔约方应负担其参加委员会及其工作机构的费用,并应负担其境内进行研究和采取措施的费用。

2. 缔约方如何分担与年度业务预算有关的费用,由委员会工作条例和财务规定加以规定。

第十四条 与其他国家、其他组织和非本委员会专家的合作

1.委员会应开展与其他政府间组织的合作,并可向这些组织提出建议。

2.委员会可吸收以下国家和组织为观察员:

(1)对委员会工作感兴趣的国家;

(2)其工作与本公约有关的政府间组织;

(3)其业务或活动与本公约有关的非政府组织。

3.委员会应与非政府组织就这些组织的业务或活动所涉及的问题交流信息。如果委员会的决定对这些组织影响重大,委员会应在做出决定前与这些组织协商,并应在决定做出后尽快通知他们。

4.观察员可向委员会提供与本公约目标有关的信息或报告。可邀请观察员参加委员会的会议,但无表决权。

5.委员会可决定向得到普遍承认的非政府组织的专家或其他专家进行咨询,亦可邀请他们参加委员会的会议。

6.合作条件以及资格和参加条件,由工作条例和财务规定加以规定。

第十五条 工作语言

委员会的工作语言是荷兰语、法语和德语。详细说明应在工作条例和财务规定中加以规定。

第十六条 争议的解决

1.如果缔约方因本公约的解释和适用引起争议,有关各方应通过协商的方式或各方均可接受的解决争议方式寻求解决办法。

2.如果争议不能以本条第一款予以解决,且各争议方未作其他决定,应按其中一方的要求,根据本公约附录(公约的组成部分)中的规定,将争议提交仲裁。

第十七条 生效

各缔约方一俟本公约生效的国内条件全部满足即通知瑞士联邦政府。瑞士联邦政府将确认收到通知,并通知其他缔约方。本公约应于最后一份通知收到之日后第二个月的第一天起生效。

第十八条 退出

1.本公约生效期满三年后，任何缔约方随时可以书面声明的形式通知瑞士联邦政府，退出公约。

2.退出公约应在决定做出后的第二年年底生效。

第十九条 现有法律的废止和继续生效

1.本公约一俟生效，下列协定应即终止，本条第二款和第三款的规定除外：

(1)1963年4月29日保护莱茵河国际委员会防止莱茵河污染协定；

(2)1976年12月3日补充协定，即1963年4月29日保护莱茵河国际委员会防止莱茵河污染协定的补充协定；

(3)1976年12月3日防止莱茵河化学污染公约。

2.如果委员会未明文加以废止，基于1963年4月29日保护莱茵河国际委员会防止莱茵河污染协定、1976年12月3日的补充协定以及1976年12月3日防止莱茵河化学污染公约所做出的决定、建议、极限值和达成的其他协定应保持法律性质不变，仍继续适用。

3.1963年4月29日保护莱茵河国际委员会防止莱茵河污染协定(1976年12月3日补充协定作了修改)第十二条规定的年度业务预算费用分摊应继续有效，直到委员会根据其工作条例及财务规定另行做出费用分摊规定。

第二十条 正本及保存

本公约以荷兰文、法文和德文写成，三种文本具有同等效力。公约正本由瑞士联邦政府保存。瑞士联邦政府将把本公约核实无误的副本送交公约的所有缔约方。

本公约于1999年4月12日在波恩签署。

德意志联邦共和国政府　　　　荷兰王国政府

Klaus BALD　　　　　　　　R.H.DEKKER
Fritz HOLZWARTH

法兰西共和国政府
André GADAUD

瑞士联邦政府
Philippe ROCH

卢森堡大公国政府
Paul HANSEN

欧洲联盟
Helmut BLÖCH

附 录

仲 裁

1.除非争议各方另有协议，否则应按此附录中的规定来执行仲裁程序。

2.仲裁法庭应由三人组成。原告及被告各指派一名仲裁员；这两名仲裁员同意指定第三名仲裁员，后者将担任仲裁法庭庭长。

如果在指定第二名仲裁员后两个月内，仍未指定仲裁法庭庭长，应第一方的要求，应由国际法庭庭长在其后的两个月内指定仲裁法庭庭长。

3.如果在收到根据公约第十六条规定的要求后两个月内，争议一方仍未指定仲裁员，另一方可将此事提交国际法庭庭长，由后者在之后两个月内指定仲裁法庭庭长人选。一旦确定庭长人选，庭长应要求仍未指定仲裁员的一方在两个月内确定仲裁员。在此期限到期后，他／她应将此事提交国际法庭庭长，由庭长在之后的两个月内指定人选。

4.如果发生上述两种情况中任何一种情况，国际法庭庭长不能作为代理人，或不应是争议一方的国民，如果是，则由不受限制的并与争议方不是同一国籍的国际法庭副庭长或法庭高级成员指定仲裁法庭庭长或仲裁员。

5.这些条款已作必要的修正，应适用于职位空缺时的补充人选。

6.仲裁法庭应根据国际法条例，特别是根据本公约条款，做出决定。

7.有关程序上的和实际事务，仲裁法庭应采用投票的方式以多数票数为准做出决定；各方指定的仲裁法庭仲裁员中若有一人缺席，将不妨碍仲裁法庭做出决定。若赞成票与反对票同等时，应由庭长投决定票。仲裁法庭的决定对各方都具有约束力。各方应承担其指定仲裁员的费用，并平均分担其他费用。有关其他事务，仲裁法庭应制定自己的工作条例。

如果争议发生在两个缔约方之间，而其中只有一方是欧洲联盟（本身即是缔约方之一）的成员国，另外一方应将其请求同时提交给该成员国以及欧洲联盟，后两者应在收到要求后的两个月内一同通知该方，确定是该成员国、欧盟两者之一是争议方，还是两者都是争议方。如果此类通知未在指定时间内发出，应将该成员国和欧盟视为争议的同一方，以适用此附录。此附录也适用于成员国和欧盟共同组成争议一方的情况。

签字协议

为了在莱茵河保护公约签字，保护莱茵河国际委员会的各代表团团长同意下列观点：

1.公约应不影响下列各方面：

(1)1976年12月3日防止莱茵河氯化物污染公约；

(2)1983年4月29日和5月13日就上述公约的书信往来，往来书信于1985年7月5日生效；

(3)关于1963年4月29日保护莱茵河国际委员会的防止莱茵河污染协定的各政府代表团团长于1986年12月11日发表的宣言；

(4)防止莱茵河氯化物污染公约（1976年12月3日签订）的补充协议（1991年9月25日签订）；

(5)关于1963年4月29日保护莱茵河国际委员会的防止莱茵河污染协定的各政府代表团团长于1991年9月25日发表的宣言。

2."目前工艺水平"与"可用的最佳技术"是同义词，与"最环保措施"的表达意思一样。应根据1992年3月17日跨国界水道和国际湖泊保护和使用公约（附录I和附录II）及1992年9月22日保护东北大西洋海洋环境公约（附录I）的定义理解这些词意。

3.委员会总部应继续设在科布伦茨。

4.为了解决欧共体成员国之间而不涉及其他国家的争议，应采用欧共体条约第219条。

本协议于1999年4月12日在波恩签署。

附录 2　ICPR 工作条例和财务规定

（最终稿于 ICPR 第 69 届全体会议上修订通过）

（2003 年 7 月 1 日于卢森堡）

　　根据《莱茵河保护公约》第七条第四款，保护莱茵河国际委员会（ICPR）对委员会及其秘书处的工作制定以下工作条例和财务规定。

1　全体会议

　　1.1　每年全体会议的时间和地点在上一次全体会议上决定。至少在全体会议召开两个月之前，主席❶需将议事日程草案交各代表团团长，并要求后者在给全体人员发出邀请之前两周内对草案提出意见。

　　1.2　主席可出于自己的考虑或至少两个代表团的要求，召集特别全体会议，并交流议事日程。在得到代表团同意后，主席应尽快在至少两个月内召集举行特别全体会议。会议地点以及将在议事日程上增加的议题是征求同意程序的一部分。

　　1.3　委员会全体会议对协调小组的任务做出决定。成立工作小组、决定他们的任务，以及根据代表团的提议指定组长人选。如果可能，一个工作小组的组长应是某个代表团的成员。

　　1.4　委员会预备的解决方案应由负责莱茵河的部长们在全体会议上通过。

　　1.5　秘书处应至少提前六个月得到为全体会议准备的文件，以便把文件转交给所有代表团。在全体会议举行前两周内才提交的文件将分发给各代表团，但必须经所有代表团同意方可在全体会议上讨论。

2　以书面形式做决定

　　2.1　根据公约第十条，在全体会议以外，委员会可以书面做出决定。

---

❶ 在工作条例和财务规定中规定的"指定"的职能没有性别规定。

主席或某个代表团可提交一个由代表团团长签字的解决方案草案,以此申请书面决定。主席应立即将解决方案草案转交所有代表团并征求他们的意见。

2.2 如果草案在主席提交后两个月内没有得到一致通过,即认为被否决,但必须放在下一次全体会议上处理。

3 主席

3.1 主席即全体会议及协调小组会议的负责人。由他提出并提交旨在推动 ICPR 工作的提议,并执行委员会委派的其他工作。

如果主席暂时无法负责工作,应由代表团的另一位成员代表他担任委员会的主席。

3.2 主席履行其职责需借助他在执行本国任务时和委员会秘书处中任用的职员和资金。除非委员会另有决定,因主席工作而发生的费用将由认可委员会主席的缔约方承担。

3.3 主席可任命秘书长或委员会的一名代表暂时履行某种职责。

3.4 主席代表委员会负责秘书处的工作。

3.5 主席每年向全体会议提交一份有关其工作的报告。

4 协调小组

4.1 协调小组负责协调 ICPR 的工作,并准备将由全体会议做出的决定。

4.2 协调小组决定项目小组的编制、任务及相应计划。在代表团提出后,协调小组指定项目小组组长,如果可能,该组长应为某个代表团的成员。

5 工作小组和项目小组

5.1 工作小组和项目小组的组长定期向协调小组报告进度。

5.2 在年度全体会议上,工作小组和项目小组的组长向委员会报告进度。

5.3 工作小组和项目小组对如何工作做出决定。工作小组和项目小组的组长可成立专家小组来处理有时限规定的任务中的具体工作。

6 工作语言和出版物

6.1 除非全体会议或协调小组另有决定，所有由全体会议通过、涉及公众利益的出版物和报告都应翻译成委员会的工作语言。

6.2 全体会议中应同声翻译为委员会的工作语言。有关技术设备的费用由发出邀请的缔约方支付。秘书处负责提供翻译服务。

在每次全体会议前，荷兰代表团应及时通知秘书长是否需要荷兰语的同声传译。

6.3 秘书处以三种工作语言向全体会议提交文件以及委员会的决定。

6.4 协调小组、工作小组以及项目小组的会议应同声传译为三种工作语言。

6.5 缔约方以一种工作语言向协调小组、工作小组以及项目小组提交文件，秘书处将其翻译为另外两种工作语言。

6.6 如果专家小组会议、技术会议和非政府组织的听证会无法只使用一种语言，应同声传译为三种工作语言。如果会议使用的语言是德语、法语、荷兰语之外的其他语言，其中一个代表团应将会议结果翻译成某种工作语言再提交，以便于委员会内部的协调工作。

7 秘书处

7.1 秘书处协助委员会及其各个小组和主席执行其各自的任务。

7.2 秘书处代表主席发出有关全体会议、协调小组会议、工作小组和项目小组会议的邀请，并为这些会议做准备工作。

除非另有决定，秘书处应及时为全体会议、协调小组、工作小组和项目小组的会议做出会议纪要。

7.3 代表团与委员会之间的信函往来应发到秘书处。如果代表团成员有任何变动，应尽快通知秘书处。秘书处应尽快将信息和文件发送出去，并负责为会议提交文件。

7.4 秘书处执行委员会委任的其他工作，但需保持中立。

7.5 委员会确定秘书长的工作内容并决定他的接替者。

荷兰代表团提出秘书长人选，由委员会任命。主席以委员会的名义，与秘书长签订雇用合同，任期最长4年。

委员会对合同的规定以及可能的延期做出决定。

7.6 秘书长负责秘书处的工作和管理，根据编制计划管理和任用职员。

秘书长草拟年度预算草案，负责管理最终预算内的收入和支出、清算账目，并根据预算分配起草年度财政报告。

7.7 秘书处制定编制计划、工作内容和任命其他秘书处职员的合同条款。

主席代表委员会根据秘书长的提议，任命和解雇职员，并决定工资等级。秘书处职员都属于委员会的职员。

工资标准符合联合工资协议(BAT)的规定。BAT的规定适用于有关劳动法或社会法的所有问题。

7.8 从公约生效之日起，与联邦德国(由联邦水文署代表)签订雇用合同的职员将由秘书长和发布指令的权威机构管理。

8 与非政府组织（NGO）和外来专家的合作

8.1 ICPR有关赋予NGO观察员身份的规定：

a 认可莱茵河保护公约的目标和基本原则。

b 具有特别的科技知识或其他有关公约目标的知识。

c 具有组织良好的管理机制。

d 具有以组织成员的名义代表组织发言的权力。

8.2 要求观察员身份的申请提交给委员会秘书处。有关申请应至少在全体会议召开前12周提交给秘书处。申请应：

a 包括有关组织的介绍，可能会对委员会工作有利的能力和经验；

b 说明NGO为何认为其参与对委员会的工作有用；

c 以书面形式确认NGO尊重ICPR工作条例中的职责。

在收到NGO要求观察员身份的申请后，

d 秘书长立即将申请转交给所有缔约方，要求他们对申请提出意见；

e 至少在召开委员会会议前四周，秘书长应将所有缔约方对申请的意见汇总并分发；

f NGO认可工作条例中有关观察员身份的规定是前提条件，在授予身份的会议后，观察员身份即生效。

如果有观察员身份的NGO连续两年不参与委员会的工作，委员会主席可决定取消其观察员身份。

8.3 秘书处列出已授予观察员身份的 NGO 名单。

8.4 NGO 可向委员会提交有关文件和提议，而后根据秘书长的决定分发，并根据会议参与人的意见进行讨论。

协调小组决定：

a 与观察员身份的 NGO 交换的信息类别；

b 收集观察员身份的 NGO 书面和口头意见的组织。

除非协调小组另有决定，与委员会会议冲突的听证会和技术会议由秘书处主持。

秘书处准备并协助听证会和技术会议，并适时起草有关听证会和技术会议成果的说明。

8.5 协调小组决定是否邀请已获承认的 NGO 和外来专家作为观察员参加委员会的全体会议。欢迎不同兴趣小组的参与。

观察员参会的条件是：

a 开展建设性的合作，以实现委员会目标；

b 尊重主席对会议适当活动做出的指示；

c 尊重 ICPR 通过的特别协议。

在发出邀请时，秘书处应通知 NGO 议事日程上是否有某些问题（如内部事务）只由代表团讨论。

8.6 在征得主席同意后，工作小组和项目小组可邀请外来专家或有能力的 NGO 代表。

9 年度预算的费用分担

年度预算的费用由缔约方如下分担：

a 欧盟支付 2.5%❶；

b 瑞士联邦支付 12%；

c 其他缔约方支付其余：

德国 32.5%

---

❶欧盟在财务允许的情况下争取多分担一些费用。支付这个额外费用的目标是与去年在1999年4月12日《莱茵河保护公约》生效之前分担的费用一样多。但是欧盟承担的费用总额不能超过1976年12月3日的附加协议以及1963年4月29日在波恩签订的《保护莱茵河国际委员会防止莱茵河污染公约》中确定的比例。

欧盟在上一个财政年度的11月底前把分摊款额通知秘书长。

法国　　32.5%

卢森堡　2.5%

荷兰　　32.5%

10　预算／财务管理

10.1　委员会的财务年度按日历年计。

10.2　秘书长在 1 月中旬向代表团提交两年以上的预算草案和预算计划。

根据收入来源和费用支出把预算草案分成细项的币种是欧元。人员费用和办公费用单独列出。每个单项都必须得到证实。草案中包括由缔约方分担的费用，草案中的收支项目必须平衡。年度全体会议通过下一年的预算。

10.3　一旦全体会议通过了预算，秘书长应根据公约第十三条第二款，通知各缔约方其应各自分担的费用款额。

据此，各缔约方分担的款额应最迟在每年 2 月 15 日之前汇到 ICPR 账户。转账费用由缔约方支付。必须尊重 10.7 项中的规定。

如果由于缔约方的迟付而对委员会的预算造成不利，有关代表团应承担因此导致的赤字以及下一年度应分担的费用。委员会可以决定是否免除其承担这些赤字。

10.4　必须节约使用预算资金。费用应在发生当年记入借方。不可超过预算中估算的总额。如果其他项目节省了所需的财务资金，那么预算的不同项目不可超出 20%。不允许将办公费用与人员费用混合起来。

10.5　根据预算和现有工作条例以及财务规定中的要求，由秘书长分配委员会的资金。主席代表委员会授予秘书长相应的权力。

10.6　在预算年度的开始，为了维持委员会的偿付能力，委员会可预备一份保留金，最高可达预算的 10%。

保留金可借用年底仍未花掉的预算资金（费用降低）、利息和其他收入（额外收入）。

10.7　若当年保留金尚有余额，应根据 10.3 项中规定的期限尽快报告各缔约方，如果可能，可放在年终财政报告里，并按比例分配到下一年度的费用支出中。

10.8　如果在预算年度内发现起草预算计划时不可预计的情况，从而发生更多费用，应用一份补充预算来代替现有预算。额外费用必须首先从保留金里支付，对保留金的补充将在下一年草拟预算计划时考虑。

10.9 委员会可为特别费用制作一个特别预算。特别预算最终由缔约方以赞助的方式支付，或者根据固定的法定比价，或者按通融付款。

除非缔约方另有决定，因特别预算或额外余额产生的最终利息将根据法定比价还付给缔约方。

10.10 在对财务安排做出任何决定之前，应由秘书长做报告，这也适用于秘书处其他有关重要行政问题的决定。

如果秘书长说明所做的决定结果不在委员会现有的财务资金之内，委员会不会做出任何决定，除非所需资金已确定有了着落。

10.11 委员会选出两名审计员，每届任期两年。由审计员管理账本上的合理收入和对预算资金做出有效管理。他们可连任两届。

10.12 在下一年的 3 月之前，审计员应对年度财政报告进行审计，并向下一次委员会全体会议提交一份书面报告。根据这份报告，委员会决定是否对主席和秘书长的工作给予正式的批准。

10.13 缔约方可在预约后到秘书处总部检查账本、收据和其他证明材料。

11 其他规定

11.1 全体会议、协调小组、工作小组、项目小组和专家小组的会议不对外公布。

11.2 除非委员会另有决定，来往信函和文件不对外公布。

11.3 作为规定，协调小组、工作小组、项目小组和专家小组会议由秘书处负责主持。

12 生效

现有工作条例和财务规定自 1998 年 7 月 8 日起生效。

第九条在 1999 年 4 月 12 日签署《莱茵河保护公约》的同时生效。